GRATIEN GÉLINAS

Né en 1909 à Saint-Tite-de-Champlain, Gratien Gélinas fit ses débuts de comédien en 1927, au collège. Après avoir écrit de nombreuses revues satiriques, connues sous le nom de Fridolinades, *il a créé en 1948* Tit-Coq, *la vraie pièce de théâtre populaire que le public attendait. La carrière triomphale de* Tit-Coq *l'occupa durant plusieurs années : tournées, traduction, adaptation, film. Il a écrit par la suite* Bousille et les justes *et* Hier les enfants dansaient. *Il a fondé la Comédie-Canadienne qu'il a administré jusqu'en 1972 et a été président de la Société de développement de l'industrie cinématographique.*

TIT-COQ

Le conflit que *Tit-Coq* propose est localisé dans le temps et dans l'espace, mais le langage pittoresque de la pièce, sa gouaille et le savoir-faire de l'auteur lui valent d'être le premier grand succès de notre théâtre national.

Arthur Saint-Jean, alias Tit-Coq, se présente comme un enfant abandonné, élevé chez les Soeurs Grises. Son amie Marie-Ange, sa quasi-fiancée avant qu'il ne soit enrôlé comme soldat, s'est mariée sans attendre son retour d'outre-mer à la fin de la dernière guerre mondiale. La souffrance de Tit-Coq éclate alors avec une rare intensité dramatique. Le public reconnaît dans ce personnage la voix privilégiée de notre âme collective, à la fois témoin des peurs engendrées par la guerre et défenseur de notre culture populaire.

Tit-Coq

Gratien Gélinas
Tit-Coq

Quinze   théâtre

Collection « QUÉBEC 10/10 »
publiée sous la direction de François Ricard
avec la collaboration d'Annie Creton
est la propriété
des Éditions internationales Alain Stanké
2127, rue Guy, Montréal

Couverture:
Dessin : Norman Lavoie
Maquette : ADHOC

© Les QUINZE, éditeur, 1981

Distributeur exclusif pour le Canada :
Agence de distribution populaire Inc.
(Filiale de Sogides Ltée)
955, rue Amherst,
Montréal H2L 3K4
tél. (514) 523-1182

ISBN : 2-89026-284-7
Dépôt légal : 3e trimestre 1981

PERSONNAGES

(par ordre d'entrée en scène.)

LE COMMANDANT	George Alexander
LE PADRE	Albert Duquesne
JEAN-PAUL	Clément Latour
TIT-COQ	Gratien Gélinas
LE PÈRE DESILETS	Fred Barry
LA-MÈRE DESILETS	Amanda Alarie
MARIE-ANGE	Muriel Guilbault
LA TANTE CLARA	Juliette Béliveau
GERMAINE	Juliette Huot
ROSIE	Mary Barclay

TIT-COQ *a été joué pour la première fois le 22 mai 1948 sur la scène du Monument National, à Montréal, dans des décors de Jacques Pelletier, des costumes de Laure Cabana et d'après une mise en scène de l'auteur en collaboration avec Fred Barry. Après la relâche d'été, la pièce continua sa carrière au Théâtre du Gesù, où la 200ᵉ représentation fut donnée le 22 mai 1949.*

TABLEAUX

PREMIER ACTE

DEUXIÈME ACTE

TROISIÈME ACTE

PREMIER ACTE

TABLEAU I

LA CHAMBRE DU PADRE, *au camp militaire.*
Table de l'armée, chaises pliantes, bibliothèque
de fortune chargée de livres et de revues, carte
géographique au mur, etc.

(*Le* COMMANDANT *et le* PADRE *terminent une dis-*
cussion amicale.)

LE COMMANDANT

Bon ! Puisque vous insistez, je tombe dans le pan-
neau ; mais ce que vous demandez là, Padre, ce n'est
pas régulier, vous savez. (*Il décroche le récepteur d'un*
téléphone placé sur le bureau du PADRE *et presse un*
bouton.)

LE PADRE

Vous devriez me remercier : je vous donne la chance
d'accomplir une bonne action.

LE COMMANDANT

(*Grognon.*) Bonne action, bonne action... (*Au télé-*
phone.) Allô, sergent. Envoyez-moi chez le Padre les deux

11

gars aux arrêts qui attendent à la porte de mon bureau. Tout de suite, hein ?... Merci. (*Il raccroche.*) A titre de commandant, je dois corriger les hommes qui font un mauvais coup, non pas les aider à se tirer d'affaire.

LE PADRE

Enfin, tout ce que je vous demande, c'est de les entendre ici. Si vous le jugez à propos, vous les punirez ensuite à votre aise.

LE COMMANDANT

A chacun son métier. Vous, au confessionnal, vous êtes libre d'imposer la pénitence qui vous passe par la tête. Mais moi, pour maintenir la discipline, je n'irais pas loin avec trois dizaines de chapelet.

(*On frappe à la porte.*)

LE COMMANDANT

Entrez !

(JEAN-PAUL *et* TIT-COQ *entrent, saluent et se tiennent au garde-à-vous.*)

LE COMMANDANT

Repos ! (*Les deux soldats obéissent.*) Mes amis, un rapport de la prévôté m'apprend votre exploit d'hier soir. Si l'incident s'était passé à la caserne, je fermerais peut-être les yeux. Mais vous vous êtes battus en public dans un café de la ville. Les civils pourraient en déduire que vous êtes dans l'armée pour vous frotter les oreilles entre copains. Comme c'est après-demain Noël et qu'il s'agit de votre première offense, je veux bien entendre votre version avant de sévir. Vous devriez comparaître dans mon bureau, vous le savez ; mais le Padre m'a presque supplié de vous voir ici, chez lui. L'un de vous deux, m'assure-t-il, est venu lui raconter l'aventure en rentrant hier soir... (TIT-COQ *lance à* JEAN-PAUL *mal à l'aise un regard étonné.*) et votre mauvaise conduite présenterait des circonstances atténuantes... réclamant une certaine discrétion. Tout ça, c'est du mystère pour moi et j'ai hâte d'en connaître plus long. Si vous avez quelque confidence à me faire, allez-y : c'est le moment. (*Trois secondes d'embarras.*) Qui a commencé la bataille ?

TIT-COQ

(*Alors que* JEAN-PAUL *cherche encore ses mots.*) Si c'est ça que vous voulez savoir, c'est moi qui ai fessé le premier.

LE COMMANDANT

Mais... comment en êtes-vous arrivés là ?

TIT-COQ

(*Désignant* JEAN-PAUL.) Il est déjà venu se lamenter au Padre hier soir ; il peut continuer.

JEAN-PAUL

C'était pas l'idée de me lamenter.

TIT-COQ

Seulement, donnez-y le temps : il est pas vite.

LE COMMANDANT

Écoutez, mes vieux, ne recommencez pas à vous chamailler, hein ?

JEAN-PAUL

(*Laborieusement.*) Ben... on était partis ensemble du camp pour aller faire un tour en ville après souper. Il dit : « Viens-tu prendre un coup au Monaco ? » Je dis : « D'accord ! » En chemin, il entre dans un restaurant marchander un porte-cigarettes qui l'avait frappé dans la vitrine ; moi, pendant ce temps-là, je me flirte une fille sur le trottoir. Ça fait qu'on s'installe au Monaco...

LE COMMANDANT

Tous les trois ?

JEAN-PAUL

Oui. Je paye quatre, cinq consommations à ma... (*Il hésite.*)

TIT-COQ

(*Entre ses dents.*) ...fiancée.

JEAN-PAUL

...à ma fille, de ma propre poche. Tout d'un coup, il commence à lui tourner autour. Et, la première chose que je sais, je suis assis devant eux autres et je les regarde se jouer dans les cheveux. Je lui dis de cesser ça, mais il fait ni un ni deux, il saute sur moi et se met à me cogner la gueule.

LE COMMANDANT

(*A* TIT-COQ.) C'est vrai ?

TIT-COQ

Cent pour cent !

LE COMMANDANT

Après tout, c'était sa... conquête à lui.

TIT-COQ

Ah ! c'est pas qu'elle m'affolait, elle, mais je dois vous dire qu'il est ben drôle à voir, lui, en train d'embobiner une fille : il a tellement peu le tour que c'en est choquant. Ça fait que... j'ai été tenté de...

LE COMMANDANT

...de lui montrer comment s'y prendre ?

TIT-COQ

Oui... mais il faut croire que ça lui a déplu.

JEAN-PAUL

(*Digne.*) C'était pas le moment !

LE COMMANDANT

Et vous lui avez donné des coups quand il vous a fait comprendre que... ce n'était pas le moment ?

TIT-COQ

Tout juste ! Seulement, il oublie de vous dire comment il me l'a fait comprendre. (*A* JEAN-PAUL.) Répète-le donc, qu'on s'amuse. (*Devant son mutisme.*) Envoye, envoye : je vas t'en laisser la jouissance.

JEAN-PAUL

(*Penaud.*) Je lui ai dit : « Ote-toi de dans ma talle, petit maudit bâtard ! »

LE COMMANDANT

Oui. En somme, vous avez eu tort tous les deux... (*A* TIT-COQ.) vous, de frapper... (*A* JEAN-JAUL.) et vous, d'employer ce terme-là, qui insultait non seulement votre copain, mais ses parents. Avant de lancer une telle injure, il vaut toujours mieux y regarder à deux fois.

TIT-COQ

Surtout quand celui qui la reçoit en est un pour vrai.

LE COMMANDANT

(*Surpris.*) Un quoi ?

A C T E   I

TIT-COQ

Un bâtard, oui! C'est bête, mais c'est comme ça. Cent pour cent. Né à la crèche, de mère inconnue et de père du même poil! Élevé à l'hospice jusqu'à ce que je m'en sauve à l'âge de quinze ans. Je m'appelle Arthur Saint-Jean. Le prénom, je me demande où les sœurs l'ont pêché, mais « Saint-Jean » vient du fait que j'ai été baptisé le jour de la Saint-Jean-Baptiste. Oui, je suis un enfant de l'amour, comme on dit. Un petit maudit bâtard, si monsieur préfère. Seulement, vu que c'est bien peu de ma faute, y a pas un enfant de chienne qui va me jeter ça à la face sans recevoir mon poing à la même place!

LE COMMANDANT

(*A* JEAN-PAUL.) Vous le saviez, vous?

JEAN-PAUL

Qu'il en est un? Pas le moins du monde! C'est ce que j'ai essayé de lui expliquer hier, mais il parlait et puis il cognait, pas moyen de placer un mot. Moi, ma grand-conscience, j'ai dit ça tout bonnement. Comme toujours, quand je suis monté contre quelqu'un.

TIT-COQ

Ça prouve que t'es un imbécile!

LE COMMANDANT

(*A* TIT-COQ.) Il vous a offensé, je l'admets, mais

17

vous avez peut-être été un peu prompt à vous servir de vos poings, vous.

TIT-COQ

Ben, voyez-vous, j'ai appris jeune à régler mes comptes moi-même. Les histoires de « je vas le dire à ma mère », avec moi, ça mène pas loin.

LE COMMANDANT

Il résulte de tout ça que vous avez échangé des coups en public. Vous savez la punition pour un délit de cette nature ? Une semaine de consigne. Ce qui signifie, pour vous deux, le congé de Noël au camp. C'est dommage !

TIT-COQ

Ah oui, c'est ben dommage ! Quoique moi, personnellement, je m'en sacre. Mieux que ça : si vous voulez le savoir, ce congé-là, j'aime autant le passer à la caserne.

LE COMMANDANT

(*Incrédule.*) Vraiment ?

TIT-COQ

Ah, sans blague ! Comme j'ai ni père, ni mère, ni oncles, ni tantes, ni cousins, ni cousines... connus, manquer une réunion de parents, moi, ça me laisse froid.

A C T E   I

LE COMMANDANT

(*Un peu décontenancé.*) Évidemment...

TIT-COQ

Les Fêtes, c'est peut-être ben emballant pour vous autres, les légitimes : ça vous donne l'occasion de vous prendre en pain et de vous caresser d'un bout à l'autre de la province ; mais, pour les gars de ma sorte, c'est plutôt tranquille. On est pas mal tout seuls au coin de la rue, étant donné qu'à Noël, même les guidounes* vont dans leurs familles.

LE COMMANDANT

De toute façon, que comptiez-vous faire demain soir ?

TIT-COQ

Moi, d'habitude, je vas à la messe de minuit dans quelque chapelle pas chère. Ensuite j'entre chez le Grec du coin et j'assois ma parenté au grand complet, moi compris, sur un seul et même tabouret. Une fois le cure-dent dans la bouche, vers deux heures et demie, je vas m'étendre sur la couchette... et ça finit les réjouissances des Fêtes.

LE COMMANDANT

Pour en revenir à la punition... (*Il hésite, embarrassé.*)

* Racoleuses

TIT-COQ

(*Amer.*) En ce qui me concerne, soyez ben à l'aise : si votre conscience vous dit de me punir parce que j'ai donné un coup de poing à monsieur... parce qu'il m'avait traité de bâtard... parce que j'avais pincé la cuisse à sa blonde — qui était peut-être, sait-on jamais, une fille à tout le monde — allez-y, et sans rancune aucune ! (*Crânant.*) On peut fumer ici ? (*Sur un geste négatif du* PADRE, *il remet son paquet de cigarettes dans sa poche.*) Bon ! Du moment qu'on me respecte, moi, je comprends le bon sens.

LE COMMANDANT

(*A* JEAN-PAUL.) Vous aussi, ça vous amuserait de passer votre congé au camp ?

JEAN-PAUL

(*Misérable.*) Ben, voyez-vous... c'est probablement notre dernier Noël avant de traverser là-bas. Toute la famille va se réunir, sans compter que...

TIT-COQ

Que voulez-vous ? C'est pas donné à tout le monde d'être bâtard !

LE COMMANDANT

(*Perplexe.*) Oui...

A C T E I

TIT-COQ

Tenez, faites donc une chose : lui, ça l'embête ; moi, ça m'est égal ; et après tout c'est moi qui ai commencé la chicane. Alors laissez-le donc aller, lui, donnez-moi les deux punitions bout à bout et fourrez-moi dedans jusqu'aux Rois !

LE COMMANDANT

Non. Vous êtes à blâmer tous les deux ; si j'en punis un, il m'est impossible d'excuser l'autre.

JEAN-PAUL

Écoutez, monsieur : moi, au fond, je regrette ce que je lui ai dit. Encore une fois, je voulais pas l'insulter. Mais j'étais un peu éméché, et puis...

LE COMMANDANT

Jusque là, vous étiez de bons amis ?

TIT-COQ

Ah ! on s'est rarement sauté au cou...

JEAN-PAUL

...mais c'est la première fois qu'on se pète la gueule.

LE PADRE

(*Qui s'est gardé d'intervenir jusqu'ici.*) Commandant, si celui qui a une famille avait la bonne idée d'inviter l'autre chez lui pour le congé des Fêtes, pourriez-vous accorder un sursis ?

JEAN-PAUL

(*Tout heureux.*) Ah ! moi, je suis prêt à l'emmener. Et il serait ben reçu à la maison !

LE COMMANDANT

Devant une telle preuve de bonne volonté, oui, je passerais peut-être l'éponge. (*A* TIT-COQ.) Qu'est-ce que vous en dites, vous ?

TIT-COQ

(*Un peu troublé tout de même.*) J'en dis que j'ai l'air bête. (*Désignant* JEAN-PAUL.) Hier encore je lui cognais la fiole, et v'là qu'il m'invite à aller salir la vaisselle de sa mère !

JEAN-PAUL

Bah ! c'est oublié, ça.

TIT-COQ

(*A* JEAN-PAUL.) Il faudrait coucher chez vous, je suppose ?

JEAN-PAUL

Ben sûr ! Saint-Anicet, c'est à soixante-trois milles d'ici.

TIT-COQ

Moi, ça me gêne, ces affaires-là ! Les réunions de famille, j'en ai vu autant que de revenants. Ça fait que
l'étiquette et les bonnes manières, moi...

JEAN-PAUL

(*A* TIT-COQ.) Ah ben ! tu sais, les bonnes manières,
dans la famille chez nous, on les a loin.

LE COMMANDANT

Allons, acceptez donc, qu'on en finisse ! Au lieu de
vous garder rancune, vous apprendrez à mieux vous connaître. Et des amis, une fois outre-mer, vous n'en aurez
jamais trop. (*Se levant, catégorique.*) Bon ! le cas est
réglé.

JEAN-PAUL

(*Pendant que le* COMMANDANT *se dirige vers la porte.*)
Merci, monsieur !

LE COMMANDANT

Ce n'est pas moi qu'il faut remercier, c'est le Padre...
(*Avant de disparaître.*) qui a mis son nez dans mes
affaires encore une fois.

JEAN-PAUL

Je vous remercie ben gros, Padre ! (*Il sort, comblé.*)

LE PADRE

(*Souriant, à* TIT-COQ.) Et toi ?

TIT-COQ

(*Rétif.*) Je vous dirai ça quand je reviendrai. (*Il passe la porte.*)

RIDEAU

TABLEAU II

LE SALON DES DESILETS, *meublé selon le goût et les moyens d'un couple d'ouvriers, en ménage depuis une trentaine d'années dans le village de Saint-Anicet : murs de planches à rainure décorés de portraits de famille ; ancien mobilier au capitonnage piqué de petits tricots ; tapis tressé ; étagère chargée de bibelots, de souvenirs, etc.*

A droite dans le pan du fond, monte un escalier tournant, aux marches recouvertes de catalogne. Dans le pan droit, la sortie du salon, large et ornée de cannelures, donne sur un corridor invisible qui va de l'entrée à la cuisine. Dans le pan gauche, la porte d'une chambre. Quelques décorations de Noël donnent à toute la pièce un petit air de fête et de bienvenue.

(La scène est vide. On entend frapper violemment le marteau de la porte d'entrée, qui s'ouvre dans la coulisse.)

JEAN-PAUL

(Paraît à droite, son sac sur l'épaule.) M'man ! *(Il court jeter un coup d'œil dans la cuisine.)* M'man !

LE PÈRE

(*Descend l'escalier, sa chemise à la main.*) Ah ben, morsac! (*Il crie vers la droite.*) Rose-Anna, les v'là!

JEAN-PAUL

Bonsoir, p'pa!

LE PÈRE

Allô, Jean-Paul! (*Ils tombent dans les bras l'un de l'autre.*)

JEAN-PAUL

(*Pendant que la* MÈRE *sort de la chambre.*) Allô, m'man! (*Il court l'embrasser.*)

LE PÈRE

(*A la* MÈRE.) Je te disais ben qu'ils rebondiraient à soir.

JEAN-PAUL

(*A* TIT-COQ, *qui a paru dans l'entrée du salon, timide, son képi et son sac à la main.*) Approche, toi! (*Il va le prendre par l'épaule.*) Tit-Coq, je te présente mon père et ma mère. (*Au* PÈRE.) C'est mon ami, Arthur Saint-Jean.

LE PÈRE

(*Donnant la main à* TIT-COQ.) Bonsoir, monsieur Saint-Jean! Enchanté de faire votre connaissance.

A C T E I

JEAN-PAUL

M'man, je vous présente... (*Voyant qu'elle essuie une larme.*) Ben, voyons donc! C'est pas le temps de pleurer : on part pas, on arrive.

LA MÈRE

Je le sais, mais c'est plus fort que moi.

LE PÈRE

(*A* TIT-COQ.) C'est toujours la même chanson : si la chatte va faire un tour dans la ruelle, la mère chiale en lui revoyant le bout de la queue!

LA MÈRE

(*Le nez dans son tablier, à* TIT-COQ.) Excusez-moi, monsieur... qui, donc?

JEAN-PAUL

Son nom, c'est Arthur Saint-Jean; mais, au camp, tous les gars l'appellent Tit-Coq... parce qu'il est doux comme un agneau.

LE PÈRE

Eh ben, décapotez-vous! (*A* TIT-COQ, *pendant que les visiteurs s'exécutent.*) Il devait y avoir un monde fou dans le train?

TIT-COQ

(*Timide.*) Ah! oui...

JEAN-PAUL

On a été debout jusqu'à Valleyfield. Avec ça qu'on est partis une heure et demie en retard.

LA MÈRE

(*Qui a repris son entrain.*) On avait fini de vous attendre pour le souper. J'ai dit à ton père : « Ils ont dû prendre l'express de sept heures et vingt. »

LE PÈRE

V'là pourquoi vous me pincez les culottes à terre !

JEAN-PAUL

En tout cas, on est contents d'être là, hein, Tit-Coq ?

TIT-COQ

Ah ! oui...

LE PÈRE

Donnez vos effets : je vas aller vous les accrocher.

JEAN-PAUL

Laissez donc faire : je connais la place.

LE PÈRE

P'en tout' ! T'es de la visite, toi aussi. (*Il sort un instant suspendre les paletots dans le corridor.*)

LA MÈRE

Prenez donc un siège, monsieur Saint-Jean. Eh bien ! je vous dis que ça nous fait plaisir de vous voir dans la maison, tous les deux.

LE PÈRE

(*A* TIT-COQ.) On était ben fiers, à matin, quand on a reçu la lettre de Jean-Paul nous disant qu'il vous amenait avec lui.

LA MÈRE

(*Qui s'est assise devant* TIT-COQ.) Comme de raison, vous seriez mieux parmi les vôtres. On va faire notre possible pour les remplacer, mais je suis bien sûre qu'ils vont vous manquer !

TIT-COQ

(*Tousse pour cacher son embarras.*)

LE PÈRE

(*A* TIT-COQ.) Vous seriez pas parent avec des nommés Saint-Jean de par icitte, vous ?

TIT-COQ

(*Misérable.*) Ah ! non...

LA MÈRE

Votre famille doit habiter loin sans bon sens, si vous pouvez pas...

T I T - C O Q

JEAN-PAUL

(*Venant au secours de* TIT-COQ.) Euh... Tit-Coq est orphelin, 'm'man.

LA MÈRE

(*A* TIT-COQ.) Pas orphelin de père et de mère?

TIT-COQ

(*Balbutie un vague acquiescement.*)

LA MÈRE

Pauvre petit gars, si c'est triste! (*Attendrie jusqu'aux larmes.*) Vous pouvez être certain qu'on va avoir soin de vous comme si vous étiez à nous autres.

LE PÈRE

(*Pour dissiper le malaise.*) Dis donc, Jean-Paul: Marie-Ange et ta tante Clara étaient pas dans le train avec vous deux?

JEAN-PAUL

Non. J'ai appelé Marie-Ange, à midi: Léopold Vermette a offert de les amener en auto avec sa sœur. Ils sont partis à trois heures; ils devraient être ici dans la minute.

LE PÈRE

Eh ben! moi, avant que le reste de la visite nous tombe dessus, je vas aller passer ma chemise. Ensuite on boira un bon petit coup pour célébrer votre arrivée. (*Il entre dans la chambre.*)

JEAN-PAUL

Moi, je fais le tour de la maison ! (*Il disparaît à droite.*)

LA MÈRE

(*Fait la conversation à* TIT-COQ, *qui l'écoute les oreilles rouges.*) On parlait de ma belle-sœur et de la plus jeune de mes filles. Elles s'en viennent pour les Fêtes, avec un garçon du village qui travaille là-bas, lui aussi. Marie-Ange, c'est la chouette à son père ; depuis le mois de septembre qu'elle est partie, il a ben hâte de la voir lui sauter dans les bras. A vrai dire, ça nous a coûté gros de la laisser aller ! Elle est notre bébé, vous comprenez. Seulement la paye est si bonne à la ville par le temps qui court ! Et, dans les environs, l'ouvrage est plutôt rare pour une enfant de son âge. Pas qu'on s'inquiète de sa conduite loin de nous autres ; je le dis, même si elle est à moi : Marie-Ange, c'est une fille à sa place. Le jeune Vermette qui la ramène, je pense qu'il aurait ben le goût de la fréquenter ; mais la petite veut pas, elle, sous prétexte qu'elle a le temps pour ces folies-là !

JEAN-PAUL

(*Venant de la cuisine.*) M'man, où est-ce qu'est le chien, donc ?

LA MÈRE

Sais-tu, Fred a arrêté en passant tantôt : ils ont dû repartir l'un derrière l'autre, comme d'habitude. (*A* TIT-COQ, *pendant que* JEAN-PAUL *va fureter en haut.*) Fred, c'est mon aîné, qui est forgeron à l'autre bout du village. Ça se pourrait qu'il vienne faire un bout de veillée avec sa femme, avant la messe de minuit. Ensuite, il y a ma fille Claudia et son mari, qui vont ressourdre demain matin d'Arvida. (*Avec une pointe de vanité.*) Lui, il est contremaître à la Anglo Mine... Ils amènent leur petit, figurez-vous ! Elle voulait ie laisser à la maison : « Pauvre mère », comme elle m'écrivait, « ça va être bien trop de tracas pour vous ! » Mais je lui ai répondu : « Arrive avec ! Si ça continue, Jésus-Marie ! cet enfant-là sera grand et on le connaîtra à peine. »

LE PÈRE

(*Sort de la chambre en boutonnant son gilet.*) Elle est encore en train de vanter ses enfants ! (*A* TIT-COQ.) Écoutez-la pas : elle va en avoir pour la semaine. Pas de danger qu'elle parle de son mari, par exemple !

(*Coups de trompe d'automobile à l'extérieur.*)

JEAN-PAUL

(*Descend l'escalier.*) Les v'là ! (*Il court vers l'entrée.*)

ACTE 1

MARIE-ANGE

(*Entre en coup de vent.*) Bonjour, tout le monde !

LE PÈRE

Arrive icitte, qu'on t'embrasse !

MARIE-ANGE

Allô, papa ! (*Elle se jette dans ses bras.*)

LE PÈRE

Sacrée belle fille ! T'as ben les joues froides !

MARIE-ANGE

(*Qui pétille de joie.*) Il faisait frisquet en auto. Bonjour, maman ! (*Elle l'embrasse.*)

LA MÈRE

Vous avez fait un bon voyage ?

MARIE-ANGE

Ç'a bien été jusqu'à Saint-André ; mais, rendu là, Léopold a été obligé de mettre les chaînes, à cause de la neige. (*Elle enlève son manteau : petit gilet de tricot par-dessus sa robe neuve.*)

LA MÈRE

T'avais tes caleçons de laine, j'espère ?

MARIE-ANGE

(*Rosissant.*) Bien sûr !

LE PÈRE

Où est ta tante ?

MARIE-ANGE

En train de remercier Léopold Vermette, presque à genoux dans la rue... Depuis le départ qu'elle parle de reconnaissance !

LA MÈRE

Tu lui as pas offert d'entrer un peu, à lui ?

MARIE-ANGE

Il dit qu'il n'a pas le temps : il veut être à la maison pour le souper.

LA TANTE

(*Entre à droite, emmitouflée solidement.*)

LA MÈRE

Allô, Clara ! Comment ça va ?

LA TANTE

J'ai les pieds gelés jusqu'au nombril ! Mon Dieu ! me v'là ici avec mes claques ; des plans pour tout salir. (*Elle retourne vers l'entrée, où elle enlèvera ses caoutchoucs.*)

A C T E   I

LA MÈRE

(*La suivant.*) Ah! laisse donc faire. Le plancher est loin d'être net... (*Elle disparaît à la suite de la* TANTE. *On les entendra caqueter.*)

LE PÈRE

(*Présente* MARIE-ANGE *à* TIT-COQ, *qui s'était retiré à l'écart.*) Marie-Ange, je pense que tu connais tout le monde ici-dedans, excepté monsieur Saint-Jean, alias Tit-Coq, qui vient d'arriver avec Jean-Paul.

MARIE-ANGE

(*A* TIT-COQ.) Bonjour, monsieur. Alors vous venez passer les Fêtes avec nous autres?

TIT-COQ

(*Timide.*) Eh! oui...

MARIE-ANGE

Préparez-vous : vous allez avoir du plaisir. (*Aux anges.*) Ah! moi, j'avais tellement hâte à aujourd'hui : j'en rêve depuis trois semaines! (*Elle monte l'escalier avec son manteau.*)

LE PÈRE

(*Lui donnant une tape sur les fesses.*) Moi, j'avais pas hâte, p'en tout'! (*Prenant* TIT-COQ *par l'épaule, comme la* TANTE *vient d'entrer.*) A c'tte heure, tiens

ton courage à deux mains : je te présente ma sœur !
(*Il l'amène devant elle.*) Clara, v'là monsieur Saint-Jean.

LA TANTE

Enchantée, monsieur.

LE PÈRE

(*Taquin, à* TIT-COQ.) Elle, c'est une Enfant de Marie enragée ! Elle prétend travailler à la ville dans la couture ; mais ça, c'est peut-être rien qu'une couverture pour cacher sa vraie occupation... T'es assez grand pour comprendre ? Comme je suis le plus vieux de la famille, elle vient s'engraisser à mes dépens à tous les Jours de l'An.

LA TANTE

(*A* TIT-COQ.) Faut pas l'écouter. Il a déjà dû commencer à baptiser son petit whisky blanc.

LE PÈRE

Morsac ! ça me fait penser qu'il faudrait ben prendre un coup. (*A* TIT-COQ, *en désignant la* TANTE.) Tu vas la voir, elle, plonger dans le vin de messe ! (*Il sort vers la cuisine.*)

LA MÈRE

(*Descend l'escalier, suivie de* MARIE-ANGE. *Elle est allée porter les effets de la* TANTE *à l'étage supérieur.*) Il est toujours aussi étrivant, lui, tu sais.

LA TANTE

Parle-m'en pas ! Je crois même qu'il est plus fou que jamais.

JEAN-PAUL

(*Entrant, une mallette à chaque main.*) M'man, où est-ce que je mets les valises de la visite rare ?

LA MÈRE

Dépose-les tout de suite en haut. Et monte donc aussi les affaires de monsieur Saint-Jean. Vous coucherez tous les deux dans la chambre des petits gars. (*A* TIT-COQ, *pendant que* JEAN-PAUL *monte.*) Vous allez avoir le lit de mon garçon Rodolphe, avant qu'il se marie.

LE PÈRE

(*Est revenu avec des verres qu'il a déposés sur la table.*) Ben oui ! Notre garçon Rodolphe, depuis le matin de ses noces, il découche sans bon sens.

LA MÈRE

(*A la* TANTE.) Toi, Clara...

LA TANTE

Je suppose que je vais m'installer dans la chambre des petites filles, comme d'habitude ?

LA MÈRE

C'est ça. Seulement je me demande si tous les lits sont propres.

LA TANTE

Laisse faire : je vais y voir. (*Elle monte.*)

LA MÈRE

(*Bien assise sur son derrière.*) Les draps sont dans l'armoire en haut de l'escalier.

MARIE-ANGE

(*Revenant de la cuisine, un « beigne » à la main.*) Maman, vous avez changé les rideaux dans la cuisine ?

LA MÈRE

Il était temps. D'autant plus que ça fera du neuf dans la maison pour les Fêtes. (*Elle crie vers l'escalier.*) Clara, ouvre donc la chambre de la visite pour qu'elle se réchauffe avant que Claudia arrive demain.

MARIE-ANGE

Non ! Ils vont venir ?

LA MÈRE

Eh oui, figure-toi ! Elle m'a écrit qu'ils seront ici demain matin.

MARIE-ANGE

Avec Jacquot ?

LE PÈRE

(*Servant les consommations.*) Ils amènent le petit, oui, pour qu'on en mange un morceau.

MARIE-ANGE

Cher beau chou, va ! que j'ai hâte de le voir ! Je lui ai acheté le plus joli petit chandail en laine angora...

LE PÈRE

(*A* JEAN-PAUL, *qui allait remonter avec son sac et celui de* TIT-COQ.) Jean-Paul, lâche l'ouvrage une minute et viens trinquer avec nous autres. (*Il lui donne un petit verre de whisky, ainsi qu'à* TIT-COQ.) A votre santé !

JEAN-PAUL

A la vôtre !

TIT-COQ

(*Timide.*) A la vôtre...

LE PÈRE

C'est le temps des Fêtes : on n'a plus besoin de se cacher pour prendre un coup ! (*Ils boivent.*) Bon ! A c'tte heure, la mère, arrête d'engraisser et sers-nous à souper, parce que moi, j'ai le ventre creux.

LA MÈRE

(*Se lève et se dirige vers la cuisine.*) Ça va se faire vite : tout est prêt.

MARIE-ANGE

(*Prenant sa mère par le bras.*) J'y vais avec vous.

LA MÈRE

Prends garde de salir ta robe neuve. Tu comprends, dans la cuisine aujourd'hui... (*Elles sortent à droite, pendant que* JEAN-PAUL *remonte avec les sacs.*)

LE PÈRE

(*Resté seul avec* TIT-COQ, *il le prend par l'épaule.*) Écoute, mon garçon : t'as pas parlé ben gros depuis ton arrivée : « Ah ! oui... Ah ! non... » Je comprends qu'on est des inconnus pour toi, mais il faut que tu te dégèles au plus vite, hein ? Si tu passes cinq jours les fesses serrées comme ça, tu vas être malade ! Pour commencer, les histoires de « monsieur Saint-Jean » long comme le bras, c'est fini ; on t'appelle « Tit-Coq » nous autres aussi. Et tu vas voir qu'on n'est pas du monde gênant. D'abord, on n'est pas riches, ni supérieurement intelligents ; on est tout juste une famille d'ouvriers dans le village de Saint-Anicet. La « snoberie », prends ma parole, on connaît pas ça ici-dedans ! Tiens, pour te mettre à l'aise tout de suite : au cas où tu aurais affaire là un de ces jours... (*Il la lui indique du doigt.*) ...c'est la deuxième porte à gauche en haut de l'escalier.

A part ça, on sait qu'on vaut pas cher, mais on s'aime ben quand même, tous ensemble. Ça fait que je t'avertis : dans le temps des Fêtes, nous autres, on se lèche et puis on s'embrasse la parenté comme des veaux qui se tettent les oreilles jusqu'à la quatrième génération des deux bords ! Des tantes avec de la barbe, y en a un tas, je te préviens. Par contre, tu sauras me dire que j'ai des nièces ben ragoûtantes.

MARIE-ANGE

(*En tablier, a paru et crie du palier.*) Jean-Paul ! Ma tante ! Le souper est prêt !

LE PÈRE

(*Continuant, à* TIT-COQ.) Là-dessus, on va passer manger. Si tu te gênes à table, tu vas repartir maigri ; mais si tu n'attends pas qu'on t'en offre, tu vas prendre du ventre. La mère Desilets, c'est pas elle qui a inventé le téléphone, mais, pour la mangeaille, elle est dépareillée...

MARIE-ANGE

(*Est venue prendre son* PÈRE *par la taille.*) Papa, c'est prêt !

(JEAN-PAUL *descend l'escalier et sort vers la cuisine.*)

LE PÈRE

(*A* TIT-COQ.) En tout cas, si tu n'aimes pas notre nourriture, sois tranquille, tu auras la chance de te reprendre ailleurs. Comme je te le disais tantôt, c'est moi le plus vieux de la famille ; ça fait que tous les parents viennent s'emplir la panse chez nous, le soir de Noël. Mais on se venge et on va leur vider l'armoire à tartes à tour de rôle.

MARIE-ANGE

(*Cherchant à l'entraîner.*) Papa, le souper !

LE PÈRE

(*A* TIT-COQ, *en désignant* MARIE-ANGE.) C'est pas un beau brin de fille, ça, tu penses ? Sacrée belle chouette, va ! Dommage d'être pauvre. Si j'étais riche, je te payerais ton salaire et je te garderais avec moi icitte.

(*Pendant que la* TANTE *descend l'escalier, ils se dirigent tous trois vers la cuisine, le* PÈRE *tenant par l'épaule* MARIE-ANGE *et* TIT-COQ.)

LE PÈRE

(*A sa* « *chouette* », *tout en marchant.*) M'as-tu apporté un cadeau, au moins ? Autrement, je t'avertis : pas de place pour toi dans la maison ! Tu couches dehors à soir, morsac !

R I D E A U

TABLEAU III

LA CHAMBRE DU PADRE. *Même décor qu'au premier tableau.*

(*Le* PADRE *est en train d'écrire, à sa table de travail, qu'une lampe à abat-jour vert inonde de lumière; le reste du décor est dans l'ombre. On frappe à la porte.*)

LE PADRE
(*Le nez sur son papier.*) Entrez !

TIT-COQ
(*Paraît. On devine que, dès son arrivée au camp, il s'est précipité chez le* PADRE.) Bonsoir, Padre !

LE PADRE
Ah ! bonsoir, Tit-Coq. Comment vas-tu ?

TIT-COQ
Je me le demande !

LE PADRE

Quand es-tu revenu de Saint-Anicet ?

TIT-COQ

J'en arrive, là.

LE PADRE

Et tu as fait un bon voyage ?

TIT-COQ

Je suis complètement à l'envers, c'est tout ce que je sais. (*Il arpente la pièce, nerveux.*) Je suis mêlé dans mes papiers comme jamais. Ah ! comme jamais. Je voudrais trouver les mots pour... (*Enlevant son paletot.*) Je peux-t-y ôter ça ? Il fait chaud ici-dedans !

LE PADRE

Je t'en prie. (*Pendant que* TIT-COQ *accroche son paletot au mur.*) On t'a bien reçu, là-bas ?

TIT-COQ

Bien reçu ? Comme un roi ! Ah ! le cœur sur la main. Souvent on lance ça sans savoir ce qu'on dit, mais là c'est vrai cent pour cent. Des gens qui te laissent sortir de table seulement quand tu es bourré jusqu'au crâne, et qui te dorlotent, au bout d'une heure, comme si tu étais venu au monde dans le salon chez eux.

A C T E   I

LE PADRE

En somme, tu as fait partie de la famille ?

TIT-COQ

Ouais, de la famille ! Et c'est ben ça, le drame. Parce que moi — vous le savez depuis l'autre jour — tout ce que j'ai connu, c'est la crèche jusqu'à six ans, l'orphelinat jusqu'à quatorze ans et demi, ensuite les chambres à louer, les restaurants, les salles de billard... et le camp ici pour finir.

LE PADRE

Ce n'est pas ce qu'on peut appeler l'intimité d'un foyer, évidemment.

TIT-COQ

C'est bête à dire : je n'avais pas mis les pieds dans une vraie maison depuis l'âge de seize ans, quand j'ai fait la livraison deux jours pour un épicier. Je connaissais pas mieux... alors j'étais tranquille, tout seul dans mon coin. (*Désignant un clou dans la table.*) Comme ce clou-là, tenez : il rouille en paix au fond de son trou, sans se douter qu'il pourrait être une belle vis en cuivre.

LE PADRE

Et là, pour la première fois de ta vie, tu as vu une maisonnée de parents qui s'aimaient ?

TIT-COQ

Ouais ! Des parents qui braillent de joie en se revoyant et qui braillent de peine en se quittant... Des parents pris les uns dans les autres comme des morceaux de puzzle !

LE PADRE

Il n'est pas étonnant que tu sois bouleversé.

TIT-COQ

La première journée, j'avais la mâchoire raide. Je résistais, en me disant : « Ces collages-là, c'est de la niaiserie et du sentiment ! » Et puis, tout d'un coup, ça m'a pris par en dessous, comme une tentation ; une tentation de me laisser faire et d'être bien. Et j'ai tombé dans le piège, aux as ! Comme une fille qui aurait dit « non » pendant longtemps, mais qui ouvrirait la barrière, un beau soir. Une fille qui serait bien attrapée ensuite... parce qu'elle n'aurait pas le courage de la refermer.

LE PADRE

Alors, tu regrettes ton congé ?

TIT-COQ

En tout cas, il m'a mis un petit ver dans la pomme... Même un gros ver ! Quel entraînement j'ai eu là-dedans, moi ? Quand même j'aurais voulu, je n'avais personne à aimer... à part le petit Jésus, saint Joseph et mon bon

ange gardien. Aimer, aimer ! Je voyais ben ce verbe-là
écrit un peu partout, mais tout ce qu'il voulait dire, pour
moi, c'était coucher avec une fille !

LE PADRE

Et tu découvres maintenant qu'il signifie beaucoup
plus ?

TIT-COQ

Peut-être, oui... (*Songeur.*) Entre nous deux, là, j'en
ai perdu gros dans ma jeunesse, moi, à cause de ma maudite bâtardise !

LE PADRE

Il ne faut pas en vouloir à tes parents.

TIT-COQ

Ah ! je leur en veux pas. A chacun ses embêtements
dans la vie : ma mère a porté sa misère pendant neuf
mois, et moi... j'ai porté le reste.

LE PADRE

Il faut croire qu'elle ne pouvait pas te garder.

TIT-COQ

C'est ben ce que je me dis.

LE PADRE

A quel âge as-tu pris conscience de ta condition ?

TIT-COQ

Ah !... je devais avoir environ douze ans.

LE PADRE

Et quelle a été ton impression ?

TIT-COQ

Ni bonne ni mauvaise, si je me rappelle bien. Longtemps, j'ai pensé que ma mère devait être une belle
princesse, comme dans les contes de fées. Une princesse
qui, un beau matin, s'amènerait avec une mèche de cheveux et dirait aux révérendes sœurs épastrouillées : « Ce
beau jeune homme blond est mon fils, le prince un tel.
Son père, c'est le premier ministre ! » Mais, quand j'ai
découvert que les princesses étaient plutôt rares dans la
paroisse, j'en suis vite revenu. Quant au premier ministre, maintenant que je le connais, ça m'étonnerait ben
gros qu'il soit mon père ! (*Se levant.*) Je me demande
pourquoi je me déboutonne comme ça.

LE PADRE

Ça te surprend ?

TIT-COQ

Oui. (*Amer.*) D'habitude, je lave mon linge sale...
en famille. Mais, depuis l'autre soir, c'est plus fort que
moi, il faut que je parle ! Et je n'ai personne avec qui
me débourrer le cœur.

LE PADRE

Personne... à part moi.

TIT-COQ

A part vous, oui. Mais faudrait pas vous enfler la tête avec ça.

LE PADRE

(*Rit de bon cœur.*) Tout ce qui me touche, c'est la marque de confiance que tu me donnes.

TIT-COQ

Je vous l'ai dit : j'ai pas le choix. (*Prenant un paquet de cigarettes sur le bureau du* PADRE.) Je peux vous prendre une cigarette ? J'en manque.

LE PADRE

Je t'en prie. Tu peux garder tout le paquet, si tu veux.

TIT-COQ

Tout le paquet ? Merci ! (*Gouailleur.*) Je comprends à présent pourquoi il y a des gars qui viennent à confesse si souvent !

LE PADRE

(*Enchaîne tout simplement.*) Évidemment, tu as perdu beaucoup de bonheur dans ta jeunesse. Mais l'avenir peut changer bien des choses. Il n'en tiendra qu'à toi.

TIT-COQ

Comment ça ?

LE PADRE

Le jour où tu épouseras une bonne petite fille, tu feras partie d'une famille, toi aussi.

TIT-COQ

De la sienne ?

LE PADRE

Oui. Tu auras des beaux-parents, des beaux-frères, des cousins, des cousines, des oncles, des tantes... et des enfants à aimer, comme tout le monde.

TIT-COQ

(*Tendu.*) Oui, hein ? J'y avais pensé, savez-vous. Mais je voulais vous le laisser dire : tout seul, j'aurais pas osé y croire.

LE PADRE

Tu y avais pensé ?

TIT-COQ

Oui. Dès le lendemain de mon arrivée là-bas.

LE PADRE

Tiens, tiens ! Dois-je comprendre que... ?

A C T E   I

TIT-COQ

...il y a une sœur, oui.

LE PADRE

Une sœur de Jean-Paul?

TIT-COQ

(*Tendre.*) Oui, cher Padre.

LE PADRE

Tu crois que tu pourrais l'aimer?

TIT-COQ

Si je pourrais l'aimer? Les pieds par-dessus la tête, monsieur le curé! Et ça serait pas une corvée!

LE PADRE

C'est une belle petite fille?

TIT-COQ

Belle? Ben plus que ça! Rien que le fait de danser avec elle dans le salon me chavirait le canot d'écorce, au point que je m'accrochais dans tous les meubles. Et pourtant je sais tricoter ça, une danse, d'habitude! Mais que je sois fou d'elle ou non, c'est pas là la question: y a-t-il des chances qu'elle en vienne à me trouver de son goût, elle?

LE PADRE

Pourquoi pas ?

TIT-COQ

Vous m'avez regardé en pleine face ? Un type comme moi, rien que sa mère pourrait le trouver beau... à condition qu'il en ait une.

LE PADRE

L'apparence physique n'est pas tout ce qui compte dans la vie, tu sais. Le bon Dieu est juste, alors il répartit les qualités.

TIT-COQ

Oui, hein ?

LE PADRE

Aux uns, il accorde l'harmonie des traits, l'élégance de la taille ; aux autres, la beauté des sentiments et le charme que donne la sincérité du cœur. Non, je ne vois rien d'impossible à ce qu'elle en vienne à t'aimer, elle aussi.

TIT-COQ

Maudit, que vous parlez bien ! Continuez. Vous feriez un sacré bon évêque, vous !

LE PADRE

(*Sourit.*) D'ailleurs, admettre ses déficiences, c'est déjà se rendre sympathique.

A C T E   I

TIT-COQ

Surtout si un gars s'est donné la peine d'apprendre la technique. Celui qui a la fiole bâtie comme une bouteille de parfum de cent piastres, il n'a pas besoin d'être expert en amour pour voir les femmes lui tomber dans les bras ; mais moi — je m'en suis aperçu depuis longtemps — mon seul atout, c'est d'avoir le tour.

LE PADRE

Tout dépend du sens que tu donnes à « avoir le tour ».

TIT-COQ

Qu'est-ce que vous voulez dire, vous aussi ?

LE PADRE

La sœur de Jean-Paul doit sûrement être une petite fille propre.

TIT-COQ

Certain !

LE PADRE

Il faudra que tu la respectes.

TIT-COQ

Ah ! soyez tranquille là-dessus. Je sais qu'elle n'est pas une fille à ça. Avec elle, les mains sur la couverte ! Pas à cause du péché et parce qu'il faut toucher au fruit défendu le moins possible. Ah non ! Ça, pour moi, c'est plutôt vague. Seulement, quand on se sent crotté, voyez-vous, et qu'on veut sortir de sa crasse, on salit pas l'eau avant de se laver avec, pas vrai ?

LE PADRE

Justement.

TIT-COQ

Ah non ! Une fille comme ça, ça s'appelle « Touches-y pas ! » Je le voudrais que... je pourrais pas.

LE PADRE

Enfin, quel que soit l'idéal qui t'anime, l'essentiel est que tu te conduises bien avec elle.

TIT-COQ

C'est ça ! Autre chose : la fille que j'aimerai au point de lui glisser un jonc dans le doigt, je lui serai fidèle de la tête aux pieds et d'un dimanche à l'autre, laissez-moi vous le dire ! Encore une fois, faudrait pas me prendre pour un buveur d'eau bénite ; mais les situations irrégulières, moi, j'en ai plein le dos, étant donné que je suis venu au monde les fesses dedans !

LE PADRE

Crois-tu qu'elle pourrait s'intéresser à toi, elle ?

TIT-COQ

Marie-Ange ? Pour être franc cent pour cent, je pense
que oui : on doit sortir ensemble jeudi.

LE PADRE

Eh bien ! de quoi te plains-tu ?

TIT-COQ

D'autant plus que c'est elle qui a amené la question
sur le tapis, en revenant dans le train. Non, j'ai beau
me faire des peurs, dans le fin fond j'ai idée que ça
marcherait, nous deux. Il y a des choses en amour qu'on
dit pas...

LE PADRE

...mais qu'on sent.

TIT-COQ

En plein ça !

LE PADRE

Alors, tu n'as pas à t'inquiéter.

TIT-COQ

(*Soucieux.*) Seulement, il y a un autre maudit problème !

LE PADRE

L'affaire de ta famille ?

TIT-COQ

L'histoire de mes glorieux ancêtres, oui.

LE PADRE

Elle n'en sait rien ?

TIT-COQ

Tout ce qu'ils croient, là-bas, c'est que je suis orphelin. Etes-vous d'avis que ça les chiffonnerait ben gros, elle et ses parents, s'ils apprenaient que... ?

LE PADRE

Non, pas si ces gens-là ont le cœur à la bonne place.

TIT-COQ

Ah ! pour ça, ils l'ont : rien qu'à voir leur façon de me porter sur la main ! En tout cas, celui qui voudrait les décrier devant moi, il ferait mieux de se protéger le dentier !

LE PADRE

Tu n'es pas responsable de la faute des autres. C'est sur tes actes à toi qu'on te jugera.

TIT-COQ

Certain ! D'ailleurs, le pauvre petit chien perdu qui se colle après vous dans la rue, sait-on jamais : son père, c'est peut-être un chien de race, hein ?

A C T E   I

LE PADRE

Je le répète : tu n'as pas à rougir de ta condition.
Cependant, je crois qu'il vaudrait mieux lui dire la vérité,
à elle.

TIT-COQ

Ah ! Vous pensez que... ?

LE PADRE

Oui. Autrement, elle pourrait t'en vouloir plus tard de
lui avoir témoigné si peu de confiance.

TIT-COQ

(*Empoisonné.*) Ça va nous faire un tête-à-tête déli-
cieux ! Quand est-ce que je devrais... ?

LE PADRE

Le plus tôt possible. Si par malheur elle manquait
de jugement au point d'accorder de l'importance à une
telle question...

TIT-COQ

Aïe ! pas de bêtises, là, vous !

LE PADRE

...autant le savoir avant de t'attacher à elle. Pas vrai ?

TIT-COQ

Oh ! vous savez : je suis déjà pas mal tout attaché.
Ouais ! Au fond, il s'agit de savoir si elle pourrait m'aimer pour moi ou ben... pour ma famille ?

LE PADRE

(*Souriant.*) Tout juste.

TIT-COQ

(*Un poids énorme sur les épaules.*) Bon, je lui en parlerai jeudi. Eh! maudite bâtardise!

LE PADRE

Enfin, si tu en trouves le temps d'ici là, prie un peu, pour que tout s'arrange.

TIT-COQ

Ah! vous savez, le bon Dieu, il m'en a tellement donné dans le passé que ça me gêne de lui en demander encore! (*Pendant que le rideau tombe.*) Pour en revenir à Marie-Ange : d'après vous, je serais-t-y mieux de l'emmener danser, jeudi soir, ou bien d'aller lui prendre les mains aux vues?

R I D E A U

TABLEAU IV

À LA PORTE, CHEZ MARIE-ANGE. *Au centre,
séparée du trottoir par une marche, l'entrée
d'une maison de petits appartements modestes.
C'est le soir : seul un réverbère éclaire la
scène.*

(TIT-COQ *et* MARIE-ANGE *entrent par la gauche, bras
dessus bras dessous, et s'arrêtent devant la porte.*)

MARIE-ANGE

(*Dans un éclat de rire.*) Mais pourquoi vous m'appelez toujours « Mam'zelle Toute-Neuve » ?

TIT-COQ

Ça vous choque ?

MARIE-ANGE

Non ! Mam'zelle Toute-Neuve, c'est assez plaisant.
D'où ça vient, ça ? De ce que j'ai gardé mon air empesé
du couvent, je suppose ?

TIT-COQ

Jamais de la vie ! C'est plutôt que vous me faites
penser à... (*Il hésite.*)

MARIE-ANGE

A quoi ?

TIT-COQ

...à un petit mouchoir blanc tout neuf, pas même déplié.

MARIE-ANGE

(*Rit à belles dents.*) Alors je suis un petit mouchoir plié en quatre ?

TIT-COQ

Oui.

MARIE-ANGE

Un mouchoir pour pleurer ou pour se moucher ?

TIT-COQ

Disons un petit mouchoir de fantaisie.

MARIE-ANGE

Vous êtes drôle ! Pourquoi tout le monde vous a baptisé Tit-Coq, vous ?

TIT-COQ

A cause de mon caractère, probablement. Pour un rien, je...

MARIE-ANGE

(*Taquine.*) ...vous montez sur vos ergots ?

TIT-COQ

Oui. (*Rougissant.*) Ce que j'ai sur le cœur, il faut que ça sorte... souvent d'une manière pas mal cassante.

MARIE-ANGE

(*Lui mettant son petit poing sous le nez.*) Comme ça, des fois ?

TIT-COQ

(*Acquiesce d'un sourire.*)

MARIE-ANGE

Parlez-moi des gens qui ont le courage de dire ce qu'ils pensent ! Au moins, avec eux, on sait à quoi s'en tenir. Je peux vous appeler Tit-Coq, moi aussi ?

TIT-COQ

Mon vrai nom, c'est Arthur...

MARIE-ANGE

Arthur ! Le premier venu peut s'appeler Arthur. J'aime bien mieux Tit-Coq : ce n'est pas tout le monde qui a le tour de porter ce nom-là.

TIT-COQ

(*Flatté.*) Peut-être.

MARIE-ANGE

Ce qui est de votre goût... il faut que ça sorte aussi ?

TIT-COQ

Pareil.

MARIE-ANGE

Ça vous a plu, notre soirée ensemble ?

TIT-COQ

(*Honnête.*) Ben gros !

MARIE-ANGE

A moi aussi. (*Dans une pirouette.*) La danse, moi, je raffole de ça ! Ah ! c'est fou ce que ça me fait, la danse ! Quand je tourne au milieu de la place, je pense que la fin du monde arriverait sans me déranger. Mais, une fille qui aime la danse, vous ne trouvez pas ça trop léger, vous ?

TIT-COQ

Pas de danger !

MARIE-ANGE

Ma tante Clara, elle, prétend que toutes celles qui dansent passent leur temps à commettre des péchés mortels. Pauvre elle ! Vous aussi, c'est clair que vous avez de l'agrément à danser. Et puis vous savez faire virer ça, une fille, vous ! Un rêve ! C'est vous qui conduisez, mais il me semble toujours que je vais où je voulais aller. Avec la plupart des garçons, un contre-coup n'attend pas l'autre. Où les avez-vous appris, tous ces pas-là ? Dans l'armée ?

A C T E I

TIT-COQ

Ah ! un peu partout...

(GERMAINE *paraît à gauche.*)

MARIE-ANGE

Allô, Germaine.

GERMAINE

Bonsoir.

MARIE-ANGE

Germaine, je te présente monsieur Tit... heu... monsieur Arthur Saint-Jean. (*A* TIT-COQ.) Ma cousine, Germaine Lachance : c'est chez elle que je demeure.

GERMAINE

Enchantée, monsieur Saint-Jean.

TIT-COQ

(*Marmotte.*) Mademoiselle...

GERMAINE

(*Mettant la clef dans la serrure.*) Belle soirée, n'est-ce pas ?

MARIE-ANGE

(*Convaincue.*) Ah oui !

(GERMAINE *entre dans la maison.*)

MARIE-ANGE

(*Pendant que* TIT-COQ *la dévore des yeux.*) Je l'appelle ma cousine, mais c'est une parente de loin ; je pense que son grand-père et le mien étaient cousins germains. Elle a un ami depuis trois mois, (*Moqueuse.*) un vieux veuf de trente-neuf ans ! Je la taquine avec ça, des fois. Même si elle est un peu haïssable par bouts, c'est de la bonne pâte au fond et je m'entends bien avec elle. Ça m'arrange qu'on habite ensemble, parce que mon père aurait sauté au plafond si j'avais voulu loger toute seule en ville. Et je ne voudrais pas aller vivre chez ma tante Clara pour tout l'or du monde : ça sent le vieux scapulaire à plein nez dans sa chambre ! On a un appartement d'une pièce et demie. C'est meublé sans prétention, mais c'est propre. V'là notre balcon, en haut... (*Elle le montre du doigt.*) Je vous inviterais bien à monter, seulement, à cette heure-ci, les voisins jaseraient. Ce sera pour une autre fois ?... Si ça vous sourit de revenir, comme de raison.

TIT-COQ

Ah ! certain que... (*Le moment de la confession est venu, il le sent bien.*)

MARIE-ANGE

Disons... samedi soir ?

TIT-COQ

(*Rassemblant tout son courage.*) Avant d'accepter, il y a... un aveu que je dois vous faire.

A C T E   I

MARIE-ANGE

Un aveu... plaisant ?

TIT-COQ

(*Fait un signe de tête négatif, puis, la gorge serrée et les yeux sur le bout de sa bottine.*) Si je suis allé chez vous pour le congé des Fêtes, c'est pas parce que je suis orphelin. C'est plutôt que...

MARIE-ANGE

(*Lui met un doigt sur la bouche et, presque tout bas.*) Chut ! je sais tout ça.

TIT-COQ

(*A travers son trouble.*) Jean-Paul ?

MARJE-ANGE

Oui.

TIT-COQ

Quand ?

MARIE-ANGE

Le jour de Noël. (*Après un temps, elle lui prend la main et, simplement.*) A samedi soir ?

TIT-COQ

(*Trop ému pour parler, il accepte d'un geste.*)

65

T I T - C O Q

*(**Il** allait s'éloigner, mais il revient vers elle : d'un mou-*
vement impulsif, il lui prend la tête dans ses mains et
lui donne un baiser rapide sur la joue. Puis il sort sans
un mot, le cœur dans les nuages, pendant que MARIE-
ANGE, *conquise, le suit des yeux, la tête appuyée au cham-*
branle de la porte.)

R I D E A U

TABLEAU V

La chambre de Marie-Ange et de Germaine. *Divan-lit recouvert d'une cretonne fleurie ; berceuse, pouf ; sur un buffet à gauche, téléphone, petit radio-phonographe. Aux murs, miroir, chromos, photographies encadrées.*

Dans le pan du fond, un vestibule exigu, où se font face, à droite l'entrée et à gauche une portière qui masque la cuisinette. Dans le pan droit, une porte-fenêtre ouvre sur le balcon.

C'est une pièce bien féminine, décorée de ces bagatelles qu'affectionnent les jeunes ouvrières sentimentales.

(Germaine *dessert une petite table pliante où les deux compagnes viennent de prendre leur repas. Par la porte entr'ouverte du balcon, on entend sonner l'angélus.*)

GERMAINE

(*Chantonne en travaillant.*)

« C'est le mois de Marie,
« C'est le mois le plus beau... »

MARIE-ANGE

(*Entre par la porte-fenêtre, tout en essuyant une assiette.*) Ah ! qu'on est bien sur le balcon. Il fait doux comme en été ! (*Elle est en pantoufles et porte une gentille petite robe.*)

GERMAINE

Ton Tit-Coq vient tantôt ?

MARIE-ANGE

Tu penses ! Le soir de ma fête, il faut qu'il vienne me souhaiter ça sur le bec.

GERMAINE

Si tu veux être montrable quand il arrivera, grouille-toi ! Il est déjà sept heures.

MARIE-ANGE

Je suis prête : j'ai seulement à mettre mes souliers. Quand même je me laisserais reposer les pieds un peu !

(*Sonnerie du téléphone.*)

GERMAINE

(*Répondant.*) Allô !... Non, c'est Germaine... Ah, tiens !... Comment ça va ?... Oui, elle est ici... Une seconde. (*A* MARIE-ANGE.) C'est pour toi.

MARIE-ANGE

(*Se précipite à l'appareil, tout heureuse.*) Allô !... (*Elle*

change d'expression.) Qui ?... Ah !... Bonsoir... Ça va bien...
Ma fête ?... Oui, c'est aujourd'hui... Merci... Non, je
suis occupée... Oui... Ah ! je suis pas mal occupée ce
temps-ci... (*Elle est visiblement agacée.*) C'est ça, oui...
Bonsoir. (*Elle raccroche. A* GERMAINE.) Tu aurais dû
me dire que c'était Léopold Vermette.

GERMAINE

M'en as-tu laissé le temps ?

MARIE-ANGE

(*Mettant ses souliers.*) Qu'est-ce qui le prend, lui ?
C'est la troisième fois qu'il me téléphone depuis un mois.

GERMAINE

Il voudrait sortir avec toi, ça crève les yeux.

MARIE-ANGE

Eh bien ! ma chère, son chien est mort depuis toujours.

GERMAINE

Ça m'étonnerait qu'il te rappelle, après l'encourage-
ment que tu viens de lui donner.

MARIE-ANGE

C'est tout ce que je demande.

GERMAINE

(*Tout en parlant, elle a replié la table, l'a placée dans un coin et continue à mettre de l'ordre dans la pièce.*) N'empêche que, sans Tit-Coq, ce serait peut-être une autre histoire.

MARIE-ANGE

Oui, mais Tit-Coq est là ! Et ça règle la question. D'ailleurs je le connaissais avant Tit-Coq, lui, et je le trouvais aussi insignifiant dans ce temps-là. (*Elle se recoiffe devant la glace.*)

GERMAINE

Comme ça, c'est sérieux, vos amours ?

MARIE-ANGE

Tiens ! Certain que c'est sérieux.

GERMAINE

En tout cas, laisse-moi te dire que tu es peut-être bien gauche de t'amouracher d'un petit soldat qui vient le bon Dieu sait d'où, et qui peut repartir d'une journée à l'autre.

MARIE-ANGE

Qu'est-ce que tu veux que j'y fasse ?

GERMAINE

Oh ! je n'ai rien contre lui. C'est un garçon bien

sympathique, que tout le monde aime. Mais de là à faire un bon parti...

MARIE-ANGE

(*Narquoise.*) Évidemment, ce n'est pas donné à toutes les filles d'avoir pour bien-aimé un veuf de trente-neuf ans !

GERMAINE

(*Piquée au vif.*) Eh bien ! tu sauras que mon veuf, c'est un amoureux qui en vaut bien d'autres, avec ses trente-neuf ans, ses trois enfants, sa pipe et son tabac canadien. Il n'est pas l'homme pour m'emmener danser tous les soirs et me déclamer des vers à genoux au clair de lune, non ! Seulement, c'est un parti sûr. Et la sécurité pour une femme, ça compte.

MARIE-ANGE

Mon Tit-Coq me donne peut-être moins de garanties que tu voudrais, mais il a un atout de plus que le tien dans son jeu.

GERMAINE

Ah ! je sais que, pour les caresses de fantaisie, il est plus agile qu'Armand.

MARIE-ANGE

S'agit pas de ça ! C'est que ton veuf a toute une famille dans le cœur, à part toi, tandis que mon Tit-Coq est seul au monde.

71

GERMAINE

Tu appelles ça un avantage ?

MARIE-ANGE

Oui, parce que mon mari à moi, tout l'amour qu'il aura dans sa vie, c'est à moi qu'il le devra ; à moi, Marie-Ange Desilets, et à la parenté que je lui donnerai ! Si une femme est heureuse de se sentir indispensable à un homme, je serai loin de m'embêter en ménage !

GERMAINE

Les histoires de dévouement et de sacrifice, moi, ça me laisse froide.

MARIE-ANGE

Eh bien ! moi, ça me réchauffe. D'ailleurs il n'est pas question de sacrifice. Au contraire.

GERMAINE

Enfin, ce que j'en dis, c'est dans ton intérêt, mais tu feras bien ce que tu voudras.

MARIE-ANGE

T'inquiète pas : j'ai dix-neuf ans aujourd'hui, je suis capable de me conduire toute seule.

GERMAINE

Seulement rappelle-toi que, quand on est marié, c'est pour longtemps.

ACTE I

MARIE-ANGE

Tant mieux !

GERMAINE

Pas de divorce dans le pays. On est loin d'Hollywood !

MARIE-ANGE

Bien sûr !

GERMAINE

Là-bas, si tu te trompes de train, c'est simple, tu descends à la prochaine gare. Mais ici, il faut que tu endures jusqu'au terminus.

MARIE-ANGE

En tout cas, tu sauras que, s'il y avait quelque chose de louche dans notre affaire, les miens s'en mêleraient.

GERMAINE

Ah ! les tiens, ils sont loin et ils ne pensent pas à tout : ton père, lui, du moment que...

(*Sonnerie comique à la porte.*)

MARIE-ANGE

(*Passe au vestibule, presse un bouton qui déclenchera la porte d'entrée au rez-de-chaussée, puis court vérifier un instant sa toilette devant le miroir. On entend frapper gaîment : elle ouvre.*) Allô !

TIT-COQ

(*La recevant dans ses bras.*) Bonne fête, mam'zelle Toute-Neuve !

MARIE-ANGE

Embrasse-moi.

TIT-COQ

(*Lui prenant la tête dans ses mains.*) Attends un peu ! Un vrai baiser, ça se prend lentement. D'abord, il y a le plaisir de le désirer.

MARIE-ANGE

Je le souhaite depuis longtemps !

TIT-COQ

De loin, oui. Mais, de près, c'est encore ben meilleur ! (*Tout en parlant, il l'embrasse dans les cheveux, sur les yeux.*) Savoir qu'un gars qui vous aime comme un fou, mam'zelle Toute-Neuve, va vous embrasser dans dix secondes... dans cinq secondes... dans deux secondes et demie ! Voyez-vous, mam'zelle Toute-Neuve, le grand tort de ben des hommes, c'est d'embrasser une femme avant qu'elle en meure d'envie...

MARIE-ANGE

(*D'elle-même, elle lui saute au cou et lui donne un baiser, puis :*) Que tu embrasses bien !

TIT-COQ

Oui, j'embrasse bien, Dieu merci ! Et c'est facile à expliquer. Vois-tu, un homme ordinaire te donnerait juste de la passion dans ses baisers. C'est pas mal, la passion... c'est même bon ; mais je suis ben obligé, moi, d'y mettre en plus toute la tendresse et l'amitié que je n'ai jamais pu donner à personne. Comme de raison, tout ça ensemble, ça fait impressionnant.

MARIE-ANGE

Il n'y en a pas d'autre comme toi.

TIT-COQ

J'ai compris, mais... j'aimerais que tu répètes.

MARIE-ANGE

Tu es le seul homme au monde pour moi !

TIT-COQ

T'exagères peut-être un peu, mais tu me fais plaisir en maudit ! Comme ça, Clark Gable, Charles Boyer et le roi d'Angleterre, c'est de la belle crotte à côté de moi ?

MARIE-ANGE

Oui.

TIT-COQ

Se faire dire ça par la plus belle des filles ! Qu'est-ce qu'il faut de plus à un homme ? (*Ils sont restés dans les bras l'un de l'autre, près de la porte ouverte.*)

T I T - C O Q

GERMAINE

(*Qui pendant ce temps s'occupait dans la cuisine, traverse la scène.*) Gênez-vous pas pour moi.

TIT-COQ

On n'a pas à se gêner ! Ce qu'on fait là, on le ferait devant tout le monde. Va chercher Monseigneur l'Archevêque si tu veux, il te dira que j'ai raison.

GERMAINE

Fermez la porte au moins, qu'on fasse ça en famille !

TIT-COQ

Bonne idée, oui.

MARIE-ANGE

D'ailleurs les courants d'air, c'est toujours dangereux.

TIT-COQ

(*A* MARIE-ANGE, *qui s'apprête à refermer la porte.*) A propos... il y a un paquet pour toi dans le corridor.

MARIE-ANGE

(*Rentrant avec le colis.*) Pas un cadeau ?

TIT-COQ

C'est un petit rien.

A C T E   I

MARIE-ANGE

(*Le déballant.*) Je t'avais dit de laisser faire... Non !
Un kodak ! (*C'est un appareil photographique du type
le plus commun.*)

TIT-COQ

Il est de ton goût ?

MARIE-ANGE

(*Comblée.*) Tu penses ! Hé, Germaine, regarde donc
le beau présent !

GERMAINE

(*Distraite.*) Ah ! oui... il est beau en effet. (*Elle prend
une chaise et va s'asseoir sur le balcon.*)

MARIE-ANGE

Pourquoi te jeter à la dépense, comme ça ?

TIT-COQ

Tu sais, j'ai ben peu de mérite : pour être honnête, j'ai
songé à moi autant qu'à toi en te l'achetant, ce kodak-là.

MARIE-ANGE

Un jour, il sera à nous deux, en tout cas.

TIT-COQ

Oui. Et d'ici là, si jamais je prends le large, il servira

peut-être à ce que tu m'envoies ta photo, une fois de temps en temps.

MARIE-ANGE

(*Grave pour un instant.*) Bien sûr !

TIT-COQ

(*Avisant un album de photographies sur le guéridon au bout du divan.*) Ta photo... que je collerai dans un machin semblable à ça. (*Il le feuillette.*)

MARIE-ANGE

(*Toute à son cadeau.*) Tu parles d'un amour de kodak !

TIT-COQ

Sans rire : me le donnerais-tu, cet album-là, toi ?

MARIE-ANGE

Tu es fou ! Il est déjà à moitié rempli de portraits de la parenté.

TIT-COQ

De·la parenté ? Justement, c'est bête, mais je le veux tel quel.

MARIE-ANGE

S'il te plaît, prends-le. Pour ce qu'il vaut...

TIT-COQ

Il vaut cher. Ben cher. Tu ne peux pas savoir quel

cadeau une fille fait à un gars comme moi, en lui donnant un album de famille. (*Avant de le refermer.*) Il
est encore à moitié vide : c'est en plein l'article.

MARIE-ANGE

(*Gamine.*) Qu'est-ce qu'on fait, ce soir ?

TIT-COQ

Ce qui te tentera.

GERMAINE

(*Rentrant du balcon.*) V'là Jean-Paul. (*Elle presse
le bouton-déclencheur.*)

TIT-COQ

(*Fouillant dans ses poches.*) Il me reste deux piastres et quart. C'est pas le premier venu, chère débutante,
qui serait prêt, comme moi, à mettre à vos pieds toute
sa fortune d'un coup sec !

GERMAINE

(*A* JEAN-PAUL, *qui entre.*) Bonsoir, Jean-Paul ! Une
belle surprise !

JEAN-PAUL

(*Sans trop d'entrain.*) Allô, Germaine...

MARIE-ANGE

Allô, Jean-Paul. (*Lui tendant la joue.*) Tu me sou-
haites bonne fête, oui ou non ?

JEAN-PAUL

Ah !... c'est ta fête ? (*Il lui donne un baiser.*)

MARIE-ANGE

Mais oui ! Je pensais que tu venais pour ça.

JEAN-PAUL

J'ai dû oublier.

MARIE-ANGE

As-tu vu le beau cadeau que Tit-Coq m'a apporté ?

JEAN-PAUL

(*L'esprit ailleurs.*) Ah oui, il est beau, vrai !

GERMAINE

(*Offrant une chaise à* JEAN-PAUL.) Assieds-toi.

TIT-COQ

Avoir su que tu serais venu, je t'aurais attendu.

JEAN-PAUL

(*S'asseyant.*) Je viens juste de me décider.

GERMAINE

Tu as l'air bien chiffonné. As-tu perdu un pain de ta fournée ?

JEAN-PAUL

(*A* TIT-COQ.) J'ai parlé au sergent-major tout à l'heure. Tu l'as vu, toi ?

TIT-COQ

(*Inquiet.*) Non.

JEAN-PAUL

(*Regarde* TIT-COQ *dans les yeux.*) A compter de demain matin, on est transférés à la sixième compagnie, avec un congé de quarante-huit heures.

MARIE-ANGE

Un congé ? Ça, c'est chic !

TIT-COQ

(*Entre ses dents.*) Ouais... C'est chic en maudit.

JEAN-PAUL

Ça veut dire qu'on traverse là-bas tout de suite après.

(*Un temps.* MARIE-ANGE *est restée pétrifiée.* JEAN-PAUL *et* TIT-COQ *fument leur cigarette, les yeux au plancher. Au bout d'un instant,* MARIE-ANGE, *qui lutte contre ses larmes, se lève, va s'appuyer contre le mur à gauche et pleure silencieusement.*)

GERMAINE

(*Tousse pour dissimuler son trouble, puis :*) Jean-Paul, viens-tu faire un tour sur le balcon ?

(*Ils sortent tous les deux.*)

TIT-COQ

(*Resté seul avec* MARIE-ANGE, *il se lève, va au pho-*

nographe et choisit un disque qu'il fait tourner. Puis, sans un mot, il s'approche d'elle, la prend dans ses bras et, tout doucement, l'entraîne à danser. Elle, la tête sur l'épaule de TIT-COQ, *continue de pleurer. Après quelques pas, ils parleront, par phrases courtes, chargées d'émotion contenue.)*

MARIE-ANGE

Je ne danserai plus... Je danserai avec toi, quand tu seras revenu... Pas avant.

TIT-COQ

Ça va être un ben gros sacrifice pour toi.

MARIE-ANGE

Tant pis !

TIT-COQ

Je t'en demande moins que ça, tu sais.

MARIE-ANGE

Je ne pourrais pas danser avec un autre !

TIT-COQ

(*Lui donne un baiser dans les cheveux.*) Je te remercie quand même. De ça... et de tout le bonheur que tu m'as donné depuis que...

A C T E I

(MARIE-ANGE *lui met la main sur la bouche.*)

(*Ils continuent de danser lentement, serrés
l'un contre l'autre.*)

R I D E A U

DEUXIÈME ACTE

TABLEAU I

LE PONT D'UN TRANSPORT DE TROUPES.

(TIT-COQ *est accoudé au bastingage, face au public. On entend la musique d'un harmonica venant de la coulisse. Le* PADRE *traverse la scène : il se promenait sur le pont et il a aperçu* TIT-COQ.)

LE PADRE

Bonjour, Tit-Coq. (*Il vient s'appuyer près de lui.*)

TIT-COQ

(*Sortant de sa rêverie.*) Allô, Padre.

LE PADRE

Alors, ça y est : on s'en va.

TIT-COQ

On s'en va.

LE PADRE

Je t'empêche peut-être de t'ennuyer de ta Marie-Ange ?

TIT-COQ

Oui... mais c'est égal : j'aurai le temps de me reprendre à mon goût.

LE PADRE

Ce doit être nouveau pour toi, l'ennui ?

TIT-COQ

Tellement nouveau que j'aime presque ça. Ce qui est triste, je m'en rends compte, c'est pas de s'ennuyer...

LE PADRE

C'est de n'avoir personne de qui s'ennuyer ?

TIT-COQ

Justement... et personne qui s'ennuie de toi. Si je ne l'avais pas rencontrée, elle, je partirais aujourd'hui de la même façon, probablement sur le même bateau. Je prendrais le large, ni triste ni gai, comme un animal, sans savoir ce que j'aurais pu perdre.

LE PADRE

Tu ferais peut-être de la musique avec le gars là-bas ?

TIT-COQ

Peut-être, oui. Tandis que là, je pars avec une fille

dans le cœur... Une fille qui me trouve beau, figurez-vous !

LE PADRE

Non !

TIT-COQ

A ben y penser, c'est une maudite preuve d'amour qu'elle me donne là, elle ?

LE PADRE

(*Sourit.*) Une preuve écrasante.

TIT-COQ

Oui, je pars avec une fille qui m'aime, dans le cœur... et un album de famille dans mon sac.

LE PADRE

Un album de famille ! C'est elle qui te l'a donné ?

TIT-COQ

Oui, monsieur. Si jamais le bateau coule, sauvez ça d'abord, ou vous n'êtes pas un ami !

LE PADRE

Y aurait-il moyen de l'admirer, cette merveille-là ?

TIT-COQ

Tout de suite, si vous voulez! (*Il sort l'album de sa vareuse.*) Et vous allez voir la plus belle famille au monde! Je le dis, même si c'est la mienne. (*Lui montrant la première page.*) Tenez: ça, ça va être mon beau-père et ma belle-mère.

LE PADRE

Ils ont l'air de bien braves gens.

TIT-COQ

Yes, sir! Braves d'un travers à l'autre.

LE PADRE

(*Désignant un portrait.*) C'est elle, Marie-Ange?

TIT-COQ

Non, c'est ma belle-sœur Claudia, avec mon neveu Jacquot. (*Il tourne la page.*) Marie-Ange, la v'là!

LE PADRE

Une bien belle fille, en effet.

TIT-COQ

Oui... Il est déjà pas mal fatigué de se faire embrasser, ce portrait-là. Et le petit garçon ici, avec l'insigne de première communion, le cierge à la main et la bouche ouverte, c'est Jean-Paul! (*Il tourne la page.*) Tenez : mon oncle Alcide et ma tante Maria, le parrain et la marraine de Marie-Ange. Ils habitent, en ville, dans le bout d'Hochelaga. Je l'aime ben, lui. Si jamais vous voulez entendre une bonne histoire croustillante, vous avez en plein l'homme ! (*Sautant plusieurs feuillets.*) J'en passe, et des meilleurs, pour arriver au plus beau portrait de tout l'album.

LE PADRE

Mais il n'y a rien sur cette page-là !

TIT-COQ

Rien pour vous ! Mais moi, avec un peu d'imagination, je distingue très bien madame Arthur Saint-Jean... avec le petit Saint-Jean sur ses genoux. A moins que ce soit la petite... Peux pas voir au juste... Et le gars à côté, l'air fendant comme un colonel à la tête de sa colonne, c'est votre humble serviteur.

LE PADRE

Tu as raison, c'est une page admirable.

TIT-COQ

Certain ! (*Il replace l'album dans sa vareuse.*)

LE PADRE

Tu n'as pas été tenté de l'épouser, ta Marie-Ange, avant de partir ?

TIT-COQ

Tenté ? Tous les jours de la semaine ! Mais non. Épouser une fille, pour qu'elle ait un petit de moi pendant que je serais parti au diable vert ? Jamais en cent ans ! Si mon père était loin de ma mère quand je suis venu au monde, à la Miséricorde ou ailleurs, ça le regardait. Mais moi, quand mon petit arrivera, je serai là, à côté de ma femme. Oui, monsieur ! Aussi proche du lit qu'il y aura moyen.

LE PADRE

Je te comprends.

TIT-COQ

Je serai là comme une teigne ! Cet enfant-là, il saura, lui, aussitôt l'œil ouvert, qui est-ce qui est son père. Je veux pouvoir lui pincer les joues et lui mordre les cuisses dès qu'il les aura nettes ; pas le trouver à moitié élevé à l'âge de deux, trois ans. J'ai manqué la première partie de ma vie, tant pis, on n'en parle plus. Mais la deuxième, j'y goûterai d'un bout à l'autre, par exemple !... Et lui, il aura une vraie belle petite gueule, comme sa mère.

ACTE II

LE PADRE

Et un cœur à la bonne place, comme son père ?

TIT-COQ

Avec la différence que lui, il sera un enfant propre, en dehors et en dedans. Pas une trouvaille de ruelle comme moi !

LE PADRE

Alors, c'est pour être près de ton enfant dès sa naissance que tu pars... ?

TIT-COQ

...vierge et martyr, oui.

LE PADRE

C'est une raison qui en vaut bien d'autres.

TIT-COQ

Probable.

LE PADRE

La Providence a été bonne pour toi, sais-tu ?

TIT-COQ

Oui. Elle a été loin de se forcer au commencement, mais, depuis quelques mois, elle a assez ben fait les cho-

ses. Et je ne lui en demande pas plus. (*Intensément.*) Savez-vous ce qu'il me faudrait, à moi, pour réussir ma vie
cent pour cent ?

LE PADRE

Dis-moi ça.

TIT-COQ

(*Ouvrant l'album à une certaine page.*) Je vous le dirai
pas : je vais vous le lire.

LE PADRE

Ah ! Bon... C'est écrit là-dedans ?

TIT-COQ

C'est-à-dire que j'ai composé ça hier, dans le train
pour Halifax. Et, à matin, j'ai collé le papier dans
l'album pour être bien sûr de pas le perdre.

LE PADRE

Vas-y : je t'écoute.

TIT-COQ

Vous allez peut-être rire de moi : si on comprend de
travers, ç'a l'air un peu enfant de choeur.

LE PADRE

Il y aura pas de quoi rire, j'en suis sûr.

TIT-COQ

(*Lisant.*) « Moi, je m'imagine pas sénateur dans le par-
lement, plus tard, ou bien millionnaire dans un château.
Non ! Moi, quand je rêve, je me vois en tramway, un
dimanche soir, vers sept heures et quart, avec mon petit

dans les bras et puis, accrochée après moi, ma Toute-Neuve, bien propre, son sac de couches à la main. On s'en va veiller chez mon oncle Alcide. Mon oncle par alliance, mais mon oncle quand même. Le petit bâtard, tout seul dans la vie, ni vu ni connu. Dans le tramway, il y aurait un homme comme tout le monde, en route pour aller voir les siens. Un homme bien ordinaire avec son chapeau gris, son foulard blanc, sa femme et son petit. Juste comme tout le monde. Pas plus, mais pas moins, maudit ! Pour un autre ce serait peut-être un bien petit avenir mais, moi, avec ça, je serais sur le pignon du monde. Grâce à Marie-Ange Desilets, de Saint-Anicet, qui me donnera en cadeau toute sa famille. C'est pourquoi je pourrai jamais assez l'aimer et la remercier, même si je devais vivre cent ans. » (*Il a fini de lire et se tourne vers le Padre.*)

LE PADRE

Je comprends. Et je te félicite.

TIT-COQ

S'agit pas de me féliciter : un homme n'a pas de mérite à vouloir la seule sorte de vie qui pourra jamais le contenter.

LE PADRE

La seule ?

TIT-COQ

Ouais. Je pourrais jamais être heureux sans ça ! (*Entier.*) Parce que cette idée-là, comprenez-vous, je l'ai

dans le derrière de la tête. (*Se pointant le chignon.*)
Quelque part par là. Et c'est tracé aussi clair et net
là-dedans qu'un chemin de fer !

LE PADRE

(*Après un temps.*) Sais-tu à quoi tu me fais penser,
mon Tit-Coq ? A une branche de pommier qu'une tem-
pête aurait cassée. Si on la laisse sur le sol où elle est
tombée, elle pourrira. Mais, à condition de s'y prendre
à temps, on peut la greffer sur un autre pommier et lui
faire porter des fruits, comme si rien n'était arrivé.

TIT-COQ

Ç'a du bon sens, cette histoire-là. En tout cas, on va
la replanter, la branche... et elle va retiger, parce qu'elle
est pleine de sève. Et je vous promets de maudites bonnes pommes ! (*Inquiet.*) Seulement, il y a une chose qui
me chiffonne depuis quelque temps.

LE PADRE

Qu'est-ce que c'est ?

TIT-COQ

L'histoire des publications de bans à l'église. Pendant
trois, quatre dimanches, le curé crie à tous les vents, du
haut de la chaire : « Il y a promesse de mariage entre
un tel, fils majeur d'un tel et d'une telle, de telle paroisse, d'une part... » Qu'est-ce qu'il va dire pour moi ? Ça
va être gênant en diable !

LE PADRE

Il ne dira rien du tout.

TIT-COQ

Comment ça ?

LE PADRE

Les bans ne seront pas publiés, si tu obtiens une dispense à cet effet.

TIT-COQ

(*Soulagé.*) Oui, hein ? C'est si simple que ça ? Maudit que la religion catholique est ben faite !

(JEAN-PAUL, *vert du mal de mer, entre et s'affale sur le bastingage, à côté du* PADRE.)

LE PADRE

Allô, Jean-Paul.

JEAN-PAUL

(*Misérable.*) Comment vous faites pour être ben, donc, vous autres ?

LE PADRE

La meilleure façon d'éviter le mal de mer, c'est encore de penser à autre chose.

T I T - C O Q

JEAN-PAUL

Avec une houle pareille et le foie comme je l'ai, c'est ben dur !

LE PADRE

(*Le prenant par le bras.*) Viens marcher un peu : ça te remettra d'aplomb. (*Il l'entraîne hors de scène d'un pas vigoureux. Avant de sortir :*) A tantôt, mon Tit-Coq.

TIT-COQ

C'est ça.

(*Le solo d'harmonica a repris, dans la coulisse, pendant la visite de* JEAN-PAUL.)

TIT-COQ

(*Resté seul, il sort l'album de sa vareuse, l'ouvre au portrait de* MARIE-ANGE *et, presque tout bas :*) Bonjour, mam'zelle Toute-Neuve ! (*Il dépose sur le portrait un baiser qu'il souffle ensuite au large.*)

(*Pendant que le rideau tombe, on entend le cri d'une mouette se perdre dans le vent.*)

RIDEAU

TABLEAU II

LA CHAMBRE DE MARIE-ANGE ET DE GER-
MAINE. *Même décor qu'au dernier tableau du
premier acte.*

(MARIE-ANGE *se prépare à écrire. Devant elle, sur
une petite table pliante, le portrait de* TIT-COQ, *un en-
crier, du papier à lettres. Sa mise est terne : elle se soucie
peu de son apparence, maintenant que son amoureux est
loin.*

GERMAINE, *un tablier couvrant sa robe, est assise dans
un fauteuil à l'avant-scène. Elle tient le récepteur du
téléphone entre la joue et l'épaule, gardant ses deux mains
libres pour se limer les ongles.*)

GERMAINE

(*A l'appareil.*) Ah ! pas grand-chose de neuf. On a
été à la messe de dix heures et demie toutes les deux.
Ensuite, on a fait la dînette, lavé la vaisselle : juste un
autre petit dimanche plat... Sais-tu, ça me sourirait
de voir un beau film triste... Non, je n'ai pas regardé le

journal... Décide donc ça à ton goût, pour une fois...
Après, si tu veux, on ira manger un spaghetti... Où est-ce
qu'on se rencontre ?... C'est ça... Ah ! le temps de m'ha-
biller et je pars... Bye-bye ! (*Petits baisers du bout des
lèvres. Elle raccroche. A* MARIE-ANGE *:*) Je m'en vais
au cinéma avec Armand. Viens donc avec nous autres.

MARIE-ANGE

Non, merci beaucoup. Il faut que j'écrive à Tit-Coq.

GERMAINE

Mon Dieu ! tu feras ça demain.

MARIE-ANGE

Je ne lui ai pas donné de nouvelles, de la semaine.

GERMAINE

Quand même tu sortirais, une fois de temps en temps,
pour te changer les idées !

MARIE-ANGE

D'ailleurs, tu es bien aimable de m'inviter, mais je vous
dérange quand j'accepte, tu le sais. Il ne sort pas avec toi,
lui, pour m'avoir toujours entre vous deux comme un
chaperon.

A C T E   I I

GERMAINE

Je t'assure bien qu'Armand n'a jamais rouspété là-dessus.

MARIE-ANGE

C'est parce qu'il est bon diable. Seulement, moi, à sa place, j'en aurais plein le dos. D'autant plus que je ne peux jamais payer ma part dans ces sorties-là. Et moi, ça me gêne. Les premières fois, ça pouvait aller, mais là, c'est déjà arrivé trop souvent.

GERMAINE

Pauvre enfant, tu te fais de la bile pour rien !

(*Sonnerie brève à la porte pendant la dernière réplique.*)

GERMAINE

Un petit coup sec : ce doit être ta tante Clara, qui vient piquer une jasette. (*Elle a pressé le bouton-déclencheur.*)

MARIE-ANGE

Elle et sa jasette !

GERMAINE

(*Ouvre.*) Bonjour, mam'zelle !

LA TANTE

(*Paraissant.*) Bonjour, les petites filles !

MARIE-ANGE

(*Polie.*) Bonjour, ma tante.

LA TANTE

Vous vous prépariez à sortir, je gage? (*Elle enlève ses caoutchoucs près de la porte.*)

GERMAINE

Moi, il faut que je parte, mais Marie-Ange ne veut pas décoller de la maison.

MARIE-ANGE

Venez vous asseoir.

LA TANTE

Je vais ôter mon manteau juste une minute. Vu que j'avais rien à faire après les vêpres, j'ai dit : je vais pousser une pointe chez Marie-Ange, en attendant l'Heure Catholique.

GERMAINE

(*Tout en se préparant à sortir.*) Quel temps qu'il fait ?

LA TANTE

Ben beau ! Si ça continue, on aura eu un Mois des Morts idéal, cette année. (*Elle dégage la berceuse de*

tout obstacle et s'assoit confortablement. A MARIE-AN-
GE :) Y a-t-il longtemps que tu as eu des nouvelles de
la famille chez vous ?

MARIE-ANGE

(*Qui essaie en vain de se concentrer.*) Assez, oui.

LA TANTE

Moi, j'ai envoyé trois piastres et demie à ton père, à
la Toussaint, pour qu'il fasse chanter une grand-messe
pour l'âme de p'pa, mais il m'a pas encore répondu.
J'aurais dû suivre ma première idée et adresser l'argent
directement au presbytère.

(*Sonnerie au téléphone.*)

MARIE-ANGE

(*A* GERMAINE, *qui va répondre.*) Si c'est encore lui,
je suis absente.

GERMAINE

(*A l'appareil.*) Allô !... (*Compatissante.*) Non, Léopold, je l'attends toujours... Eh non ! je me demande ce
qu'elle fait... Sais-tu, elle a dû aller dîner chez un de
ses oncles et... Ah ! c'est dommage, en effet... Bien oui,
ç'aurait été gentil... Attends donc un peu, Léopold :
j'entends quelqu'un qui monte l'escalier, je vais voir si
c'est elle... (*La main sur le récepteur, à* MARIE-ANGE.)

Il s'en va en auto chercher une caisse de pommes à Saint-Hilaire et il voudrait t'emmener faire un tour.

MARIE-ANGE

(*Entre ses dents.*) Je suis absente, je te l'ai dit !

GERMAINE

Pas de danger qu'il te mange : il est avec sa sœur.

MARIE-ANGE

(*Tranchante.*) Qu'il aille au bonhomme !

GERMAINE

(*A l'appareil.*) Non, Léopold, c'était un des locataires d'en haut... Eh oui !... Je comprends : si vous voulez revenir de clarté, vous faites bien de partir tout de suite... Certain, je lui dirai que tu as appelé... Ah ! moi, ça s'endure. Toi aussi ?... Tant mieux !... C'est ça, bonjour. (*Elle raccroche. A* MARIE-ANGE *:*) Eh ! petite buse.

MARIE-ANGE

Va-t-il finir par comprendre que je ne veux pas le voir, lui ?

LA TANTE

C'est le jeune Vermette de par chez nous, ça ?

ACTE II

GERMAINE

(*A* MARIE-ANGE, *tout en ajustant son chapeau devant la glace.*) Tu pourrais accepter son invitation une fois par trois mois, sans que ça t'engage à devenir la mère de ses enfants ! Et ça t'empêcherait peut-être de perdre la boule à la longue, à force de te cloîtrer comme tu le fais, entre un portrait et une boîte de papier à lettres. Si tu crois qu'il se prive de sortir en Angleterre, lui !

MARIE-ANGE

Je vous demande quelque chose, moi ? Fichez-moi donc la paix !

LA TANTE

N'empêche que c'est un garçon ben avenant, ce petit Vermette-là. Avec ça que son père est en moyens et va lui laisser quelques piastres. Et lui, de son côté, sous le rapport du travail...

MARIE-ANGE

(*Exaspérée.*) C'est un bon parti, oui ! Il gagne un gros salaire, oui ! Sa famille, c'est du monde en or, oui ! Et puis il sent la lotion à plein nez, oui ! Et puis il m'énerve, oui ! Et puis c'est tout !

GERMAINE

Enfin, si tu veux être bête avec lui, c'est ton affaire.

MARIE-ANGE

Bien sûr !

GERMAINE

(*A la* TANTE.) Bonjour, mam'zelle Desilets.

LA TANTE

Bonjour, Germaine. Bonne après-midi.

GERMAINE

Merci. (*Elle sort, le cou raide.*)

(*Un temps.* MARIE-ANGE, *ahurie, retombe devant sa lettre et relit distraitement le peu qu'elle a eu le loisir d'écrire jusqu'ici. Puis, d'un geste las, elle froisse la feuille et en prend une autre. Comme la lumière du jour a baissé, elle s'éclaire d'une lampe qu'elle a prise sur le guéridon au bout du divan.*

Pendant le monologue suivant, que la TANTE *débitera en se berçant avec vigueur,* MARIE-ANGE *se réfugiera dans un mutisme rigide. Elle est bien décidée à ne plus rien entendre et à se donner tout entière au souvenir de* TIT-COQ.)

LA TANTE

Au fond, tu as bien raison, Marie-Ange. Notre vie, c'est à nous autres ; du moment que la religion le permet, aussi bien la fricoter à notre goût. A condition de pas se tromper de recette, comme de raison. Toute la question est là.

Sainte Bénite de guerre ! Au moins si on savait quand elle va finir, il y aurait moyen de faire des plans. Mais non ! J'en causais encore hier avec madame Grondin, la présidente des Dames de Sainte-Anne de la paroisse de Saint-Alphonse. Comme elle disait si bien : « Au train qu'ils sont partis, ils peuvent se tirer aux cheveux encore pendant quinze ans comme rien ! »

Et je te parle en connaissance de cause. Si quelqu'un est en mesure de sympathiser avec toi, ma pauvre enfant, c'est bien moi. Je peux te l'avouer, d'autant plus que tout le monde le sait : j'en ai attendu, moi aussi, un oiseau rare, pendant la guerre de 1914. Quand il est revenu, au bout de quatre ans et demi, il a passé tout dret, l'escogriffe, et il est allé s'établir sur une terre dans l'Alberta !

Je veux pas insinuer que le tien va faire de même. Ah, p'en tout' ! Au contraire, ça se pourrait qu'il te revienne, ton Tit-Coq. Pour le peu que j'en sais, il m'a l'air d'un petit gars de promesse. Quoique ces enfants-là, conçus directement dans le vice, ça me surprendrait qu'ils deviennent du monde aussi fiable que les autres. Autrement, il n'y aurait pas de justice pour les gens faits dans le devoir comme toi et moi.

Je le répète : une fille est libre de courir le risque, mais à condition d'y penser à deux fois.

Parce que si tu savais, ma belle, ce que ça passe vite, notre jeune temps. Ça passe vite ! Il faut être rendu à mon âge pour le savoir. Tu t'endors un beau soir, fraîche comme une rose, sans te douter de rien : le lendemain matin, tu te réveilles vieille fille. Et c'est là que tu commences à te bercer toute seule le dimanche soir, sur le coin du perron !

Et tu peux me croire : la vie de vieille fille, c'est rose par bouts seulement. Et plus ça va, plus les bouts roses sont courts. Tu traînes tes guenilles d'une pension à l'autre. Si tu ne veux pas tomber à la charge des tiens, il faut que tu gagnes ton sel en dehors jusqu'à la fin de ton règne, ton lunch sous le bras, toujours avec la crainte dans le maigre des fesses d'en trouver une neuve à ta place un bon matin !

L'histoire de la nature... on n'en parle pas. Mais, si tu as le malheur d'être faite comme n'importe qui, et si tu n'es pas une fille qui se dévergonde, tu en endures, c'est tout ce que j'ai à te dire !

Oui, ma petite, par moments, c'est loin d'être drôle. Heureusement que dans tout ça le bon Dieu est là, pour égaliser les portions dans l'autre monde.

(MARIE-ANGE *a froissé une couple d'autres feuilles et livre maintenant une lutte désespérée à la lassitude qui l'envahit. Pendant la réplique suivante, elle se lèvera, ira au phonographe et fera tourner le disque dont la musique accompagnait sa dernière danse avec* TIT-COQ.)

A C T E I I

LA TANTE

(*Prise dans sa propre misère, elle n'aura même pas conscience du mouvement.*) Tu tâches de te payer une petite assurance pour te faire enterrer. Et, si tu veux quelques messes pour le repos de ton âme, vois-y toi-même avant de lever les pattes, parce que les neveux et les nièces t'oublieront une demi-heure après le libera. Pourtant, tu te seras tourmentée pour ces enfants-là comme s'ils étaient à toi, au risque de t'entendre traiter de vieille achalante !

(*Devançant une protestation qui ne vient pas.*) Vieille achalante, oui. Ah ! je sais ce que je dis : si tu es gauche au point de vouloir te dépenser pour les autres comme n'importe quelle femme, tu te fais rembarrer d'un coup sec et tu te rends compte que personne n'a besoin de toi sur la terre !

(MARIE-ANGE *est revenue à la table et, la tête appuyée sur le bras, pleure tout bas, pendant que le moulin à paroles de la* TANTE *livre un duel à la musique.*)

LA TANTE

Alors tu rentres dans ton coin, et ça te fait une petite vie ben tranquille. Tellement tranquille qu'à la longue c'en devient énervant. Quand ça te force trop, tu parles toute seule... et les gens te pensent folle !

109

T I T - C O Q

(*Pendant que le rideau tombe.*) Oui, ma fille, attendre un homme, ça demande du pensez-y-bien : on peut se mordre les pouces plus tard, sans que ce soit la faute à personne d'autre...

R I D E A U

TABLEAU III

LE COIN D'UNE SALLE DE LECTURE, DANS
UN HÔPITAL MILITAIRE. *Quelque part en
Angleterre.*

(JEAN-PAUL, *assis à une table, écrit, sous la dictée
de* TIT-COQ. *Celui-ci, le bras droit en écharpe, lui tourne
le dos.*)

TIT-COQ

Euh... attends un peu. (*Dictant.*) « Quant à ma
cassure, rassure-toi : c'est moins que rien. Dans trois
semaines... »

JEAN-PAUL

Hé ! pas si vite. (*Écrivant.*) « Dans trois semaines... »

TIT-COQ

« Dans trois semaines, je tirerai du poignet... euh...
du poignet... » (*A* JEAN-PAUL.) Relis donc ça, pour
voir si c'est correct.

JEAN-PAUL

(*Reprend.*) « Quant à ma cassure... »

TIT-COQ

(*L'interrompt.*) Non, à partir d'en haut.

JEAN-PAUL

« Ma chère Marie-Ange... Si la présente lettre est
écrite avec les pieds, ce n'est pas de ma faute, vu que
c'est Jean-Paul qui l'écrit à ma place... » (*A* TIT-COQ.)
Remarque que j'ai été ben bon de te suggérer moi-même de commencer comme ça.

TIT-COQ

Envoye, envoye... Continue !

JEAN-PAUL

(*Lisant.*) « ...car j'ai le bras droit en écharpe depuis
trois semaines, à cause d'une maudite cassure bête pendant les manœuvres... » (*A* TIT-COQ.) Maudite, c'est ben
ça que tu veux mettre ?

TIT-COQ

Oui, oui !... C'est une maudite cassure bête, c'est tout.

JEAN-PAUL

(*Poursuivant.*) « ...pendant les manœuvres. Je suis
allé m'étendre à terre en sautant d'un camion. Ce n'est
pas encore avec ça que j'aurai la Croix Victoria... »

TIT-COQ

(*L'arrête, surpris.*) D'où ça sort, cette farce-là ?

JEAN-PAUL

Ben oui, j'ai ajouté ça. Si tu la trouves plate, peut-
être qu'elle en rira, elle.

A C T E   I I

TIT-COQ

(*Sec.*) C'est pas le temps d'écrire des folies !

JEAN-PAUL

Bon ! Si monsieur n'aime pas ça, monsieur n'a qu'à le dire.

TIT-COQ

Je le dis, là !

JEAN-PAUL

(*Changeant de ton.*) Si tu es trop de bonne humeur, je peux ben ficher le camp, moi. Je prends mon après-midi de congé pour venir ici écrire une lettre d'amour à ma sœur...

TIT-COQ

Fais ce que tu voudras : t'es libre.

JEAN-PAUL

(*Il considère un instant* TIT-COQ, *qui lui tourne le dos.*) Sacré caractère indépendant ! Ç'a le bras droit dans le plâtre, ça veut donner de ses nouvelles coûte que coûte, c'est mal pris comme une souris dans une trappe et, malgré tout, ça se paye le luxe d'être bête comme ses pieds. (*Conciliant.*) Eh ben ! non, je m'en irai pas. Cette lettre-là, il faut qu'elle parte. Il y a trois semaines que tu es empêché d'écrire ; si ça continue, Marie-Ange va être inquiète.

TIT-COQ

Inquiète ? Peut-être pas tellement.

JEAN-PAUL

Marie-Ange ?

TIT-COQ

Oui.

JEAN-PAUL

Tiens ! Qu'est-ce qui te prend ? Tu t'es fêlé le cerveau aussi, en tombant... non ?

TIT-COQ

Je vois clair, c'est tout.

JEAN-PAUL

Qu'est-ce qui te fait dire... ce blasphème-là ?

TIT-COQ

Ah ! elle a changé depuis quelque temps.

JEAN-PAUL

Elle oublie de t'appeler « mon trésor » ? Ou ben elle t'écrit moins souvent ?

TIT-COQ

Elle m'écrit chaque semaine ; seulement c'est entre les lignes qu'il faut les lire, ses lettres. Je sais pas si elle est malade, ou fatiguée, ou en train de me glisser entre les doigts... mais il se passe quelque chose de louche, ça c'est sûr.

JEAN-PAUL

Voyons donc, voyons donc ! Ma sœur, c'est une fille

correcte. Si elle a promis de t'attendre, crains pas, elle **va** tenir parole.

TIT-COQ

Justement ! c'est peut-être tout ce qui la retient : **sa** promesse.

JEAN-PAUL

Tu as eu tort de te casser un bras, toi.

TIT-COQ

Oh ! il y a longtemps que ça me trotte dans le crâne. (*Montrant son écharpe.*) Ben avant ça. J'ai même dans mon sac une lettre que je lui ai composée, le mois passé ; je l'ai gardée, mais je l'enverrai, si ça continue.

JEAN-PAUL

Qu'est-ce que tu lui racontes, là-dedans ?

TIT-COQ

Que si le cœur lui en dit, elle est parfaitement libre de changer d'idée, pour ce qui est de m'attendre.

JEAN-PAUL

Ouais... Tu lui enverrais ça, mais tu dormirais tranquille, parce que tu sais ben qu'elle te répondrait : « Je t'aime, je t'aime ! Et je t'attendrai jusqu'au jugement dernier. »

TIT-COQ

(*Têtu.*) En tout cas, je tiens à ce qu'elle sache que de l'amour par charité, ça m'intéresse pas !

JEAN-PAUL

Bon ! Mais penses-y donc encore un peu avant de le jeter à la poste, ton billet doux. Des fois, on veut faire l'indépendant ; on ouvre la porte pour montrer à l'autre qu'elle peut partir, si elle en a envie. Elle reste, ben sûr. Seulement, la porte ouverte fait un courant d'air : elle attrape un torticolis et puis elle souffre, par notre faute. En mettant les choses au pire, ce qui vous arrive, c'est une petite brouille par correspondance. Se bouder, ça se voit même chez les amoureux qui se tiennent les mains sept soirs par semaine. A plus forte raison chez ceux qui sont à trois mille milles l'un de l'autre depuis dix-huit mois.

TIT-COQ

Oui, un an et demi qu'on s'écrit, maudit ! Au commencement, c'était neuf. Chaque enveloppe arrivait comme un dimanche de Pâques. A lire « cachetée avec mon baiser », tu avais une faiblesse au cœur. Et le seul fait de signer une dizaine de croix au-dessous de ton nom dans la réponse te rendait les jambes molles. Mais, quand il y a dix-huit mois que tu en traces, des croix, tu t'aperçois que c'est toujours les mêmes platitudes qui reviennent, vu que tu as lâché l'école à quatorze ans ! Les quelques mots que tu as eu la chance d'apprendre, tu les ressasses depuis longtemps.

JEAN-PAUL

Si c'est des mots nouveaux que tu cherches, je peux toujours essayer de t'en trouver une couple.

A C T E I I

TIT-COQ

Les gars qui ont de l'instruction parlent de la lune, des étoiles, des nuages... Et tout ce qu'ils touchent tourne en phrases d'amour. Mais moi, quand j'ai écrit : « Je suis fou de toi ! je t'embrasse bien fort ! je t'ai toujours dans la tête ! », quand j'ai écrit ça, moi, je suis vidé.

JEAN-PAUL

C'est déjà ben passable.

TIT-COQ

Mais elle, à l'autre bout, ça fait cinq cents fois qu'elle lit la même rengaine !

JEAN-PAUL

C'est encore drôle ; les femmes, tu sais, ça se pâme pour un rien.

TIT-COQ

Sans compter que ces lettres-là se font attendre un siècle ! Quand l'ennui te prend trop fort, tu sautes sur la plume pour le dire à l'autre. Mais tu te rends compte aussitôt qu'elle lira tes lamentations dans un mois et demi. Et si elle te répond : « Moi aussi, je m'ennuie ! » tu l'apprendras dans trois mois.

JEAN-PAUL

(*Qui veut à tout prix dérider* TIT-COQ.) Ça me fait penser à l'histoire des deux gars pas bavards qui logeaient ensemble. Un beau jour, un des deux se décide...

TIT-COQ

(*Poursuivant son idée.*) Si je pouvais donc lui parler trois minutes, face à face! Je la tranquilliserais pour un an, il me semble, et je me remettrais d'aplomb du même coup. Mais non, toujours rien que ce maudit papier! (*De son poing gauche, il frappe le fauteuil.*)

JEAN-PAUL

Hé! Prends garde de te casser l'autre bras, toi.

TIT-COQ

Si tu as envie de me faire rire avec tes farces plates, tu perds ton temps.

JEAN-PAUL

Qu'est-ce que tu veux? Chacun sa façon de consoler les amis. Si tu aimes mieux l'autre manière, on peut ben se coucher à terre et chialer tous les deux une couple d'heures. Seulement, ça m'étonnerait qu'on soit plus avancés après. (*Sérieux.*) Écoute, Tit-Coq: je te vois déprimé sans raison, je veux te remonter, ça fait que je blague à propos de tout, comme mon père. Je ne suis peut-être pas plus drôle que ma mère, mais au fond je force avec toi et je suis de ton bord cent pour cent! Tiens, je vais te dire une chose vaseuse: tu es mon frère plus que personne! Et je serais aux oiseaux pour toi si, un bon matin, je pouvais te servir de père, dans la grande allée, avec une rose à la boutonnière et les cheveux coupés ben ras.

A C T E I I

TIT-COQ

Tu es sûr de ça ?

JEAN-PAUL

Certain ! Et tout le monde est de mon avis dans la famille.

TIT-COQ

Oui, hein ? Parce que ma crainte, à vrai dire, c'est qu'ils se mettent tous contre moi, là-bas.

JEAN-PAUL

Je voudrais ben en voir un !

TIT-COQ

Je n'aurais pas un chat pour prendre ma défense, moi !

JEAN-PAUL

Cesse donc de te faire de la bile pour rien. Tu t'es cassé un bras bêtement, ça t'agace, alors tu vois tout en noir. D'autant plus qu'à la suite de cet accident-là tu vas être changé de service ; tu sais qu'on va prendre chacun son côté... et que tu pourras pas m'engueuler pour un bout de temps.

TIT-COQ

(*Contrarié.*) Tu penses que... je vais être transféré, oui ?

JEAN-PAUL

Ah ! sûr et certain ; tu peux compter là-dessus. Seulement, plains-toi pas : pendant qu'on ira se mettre au blanc de l'autre côté de la Manche, tu cours la chance, toi, d'être nommé commis de bar dans quelque mess.

TIT-COQ

Je m'en sacre royalement, de cette chance-là.

JEAN-PAUL

Ouais ! En attendant ce jour béni, il faut qu'elle s'écrive, cette lettre-là. Et moi, je devrai être au camp à cinq heures et quart : j'ai des ordres à donner au commandant... (TIT-COQ *est abîmé dans ses pensées.*) Où est-ce qu'on en était, donc ? (*Relisant.*) « Quant à ma cassure, rassure-toi : dans trois semaines, je tirerai du poignet... » (*Il écrit.*) « Mon plus gros embêtement, c'est que je ne peux pas gesticuler du côté droit en parlant... »

R I D E A U

TABLEAU IV

La chambre de Marie-Ange et de Germaine. *Même décor qu'au dernier tableau du premier acte.*

(Le père Desilets, *endimanché, ses lunettes sur le nez et un calepin à la main, est assis près du téléphone. Sa visite sera brève, car il a gardé son foulard sur ses épaules, après avoir déposé sa coiffure et son paletot sur le bout du buffet.*

La mère Desilets *est assise à l'avant-scène, son chapeau sur la tête et son manteau rejeté sur le dossier de sa chaise.*

Blottie dans un coin du divan, Marie-Ange, *en robe de chambre, file, de toute évidence, un mauvais coton.*

Germaine, *à gauche, raccommode une robe de bal pendue à un crochet.*)

LE PÈRE

Germaine, signale-moi donc ce numéro-là, toi. (*Il le lui indique sur une page de son calepin.*)

GERMAINE

Certainement.

T I T - C O Q

LA MÈRE

(*A* MARIE-ANGE, *pendant que* GERMAINE *compose le numéro au téléphone.*) Quand j'ai vu que ton père s'amenait à la ville voir son spécialiste, j'en ai profité pour venir faire quelques commissions, moi aussi...

LE PÈRE

(*A qui* GERMAINE *a passé le récepteur.*) Allô! Chez le docteur de Grandpré?... Je pourrais-t-y lui parler à lui-même?... C'est ça, mam'zelle, je vas attendre. (*Les vitres vibrent encore du son de sa voix.*)

LA MÈRE

(*Enchaînant.*) A vrai dire, j'étais inquiète de toi, aussi : pas de nouvelles depuis une quinzaine! Pour achever le plat, ta tante Clara m'écrit que, d'après elle, tu couves quelque bonne maladie.

MARIE-ANGE

Où est-ce qu'elle a pêché ça, elle?

LE PÈRE

(*Jovial, au téléphone.*) Allô, docteur!... C'est Cléophas Desilets, de Saint-Anicet... Ouais... Vous vous souvenez de moi : j'étais venu vous voir au mois de janvier pour mes reins. Vous m'aviez dit de revenir aux environs des jours gras, si ça n'allait pas mieux... Étant donné que c'est pire, me v'là!... Ben, je suis en ville pour l'a-

122

près-midi, mais il faut que je reprenne le train à six heures et vingt... C'est ça, comptez sur moi : je serai là à quatre heures et quart, avec mon cinq piastres à la main ! (*Il raccroche.*)

GERMAINE

Alors, ça va mal, la santé, monsieur Desilets ?

LE PÈRE

(*Se lève en se tenant les reins.*) Ah !... dans le fond, ça va numéro un. Mais il faut que je me trouve une maladie avant le carême ; autrement la mère va se mettre après moi pour que je jeûne. (*A* MARIE-ANGE.) Il paraît que tu traînes l'aile, toi aussi ?

MARIE-ANGE

(*Les larmes au bord des yeux.*) Je ne suis pas malade ! Où prenez-vous cette idée-là, donc, vous autres ?

LA MÈRE

Pauvre petite fille, si tu te voyais la binette !

LE PÈRE

Si l'ouvrage te force trop, lâche tout et viens te reposer à la maison.

LA MÈRE

Oui, parce que ça doit être ben éreintant de pédaler sur ces machines-là du matin au soir.

(MARIE-ANGE *pleurniche dans son mouchoir.*)

LE PÈRE

Eh ben !... si t'es en parfaite santé, il y a une chose certaine : t'as la larme facile.

GERMAINE

(*Qui rongeait son frein depuis le début, éclate.*)
Écoutez, monsieur Desilets, je vais vous le dire, moi, ce qui en est ! Vous allez peut-être me répondre de me mêler de mes affaires. Mais j'ai été assez bonne avec elle depuis qu'on habite ensemble, pour avoir le droit de placer mon mot, une fois de temps en temps.

MARIE-ANGE

Tu avais promis de garder ça pour toi !

GERMAINE

Possible, seulement c'est rendu tellement loin que je me ferais un crime de le cacher plus longtemps.

LE PÈRE

Qu'est-ce qu'il y a qui cloche ?

GERMAINE

Il y a qu'elle se meurt d'aller danser, cette enfant-là. Il y a que, depuis plus d'un an et demi que son Tit-Coq est parti, elle vit renfermée comme une belette dans son trou. Elle ne sort pas, elle ne parle à personne... Par-dessus le marché, elle qui aurait pu se manger en salade pour danser, elle est allée promettre bêtement de s'en priver aussi longtemps qu'il serait là-bas, avec le résultat que, là, c'est plus fort que ses forces de tenir sa promesse !

MARIE-ANGE

(*Dans son mouchoir.*) Pas vrai !

GERMAINE

Oui ? (*Aux parents.*) Eh bien ! la preuve, vous l'auriez eue la semaine passée, si vous aviez été ici. A cause des convenances, elle m'a accompagnée au mariage de Françoise Meloche, qui travaillait avec nous autres. Elle avait rien que l'intention de passer à l'église ; mais, pas moyen de s'en déprendre, il a fallu suivre jusqu'à la réception. Et là — soit que le verre de vin lui ait monté à la tête, soit que le bon Dieu l'ait voulu — elle s'est laissé gagner pour une danse. Eh bien ! croyez-le ou non, elle est revenue ici tout à l'envers, comme un ivrogne qui aurait mis le nez dans la bouteille après un an de tempérance. C'est depuis ce temps-là qu'elle renifle.

LE PÈRE

(*Pensif.*) Ouais !

GERMAINE

Et aujourd'hui vous tombez bien mal. C'est le samedi gras, elle me voit préparer ma robe pour une grande soirée de danse à la salle Luxor. Elle sait que Léopold Vermette va rappeler tantôt, qu'elle a seulement à dire « oui » pour y aller, elle aussi, et tourner au milieu de la place comme une possédée jusqu'à la messe de cinq

heures et demie demain matin. Vas-y donc, espèce de petite folle ! C'est pas tromper un homme que de danser
une fois de temps en temps avec un autre !

MARIE-ANGE

Ça m'embête de danser avec un garçon que je n'aime
pas !

LA MÈRE

L'amour... l'amour ! Pour ce que ça veut dire, après
tout ! Je t'assure qu'à ton âge on s'en fait ben plus qu'il
y en a. Ça sort du couvent, ça tombe dans les bras du
premier venu et, ensuite, ça n'en voit plus clair.

GERMAINE

Elle vous a montré ce qu'il lui a écrit, dans sa dernière lettre ? Il lui disait : « Tu sais, tu es toujours
libre... Faudrait pas te croire obligée de m'attendre, seulement parce que tu me l'as promis... C'est de l'amour
que je veux, pas de la charité... » Enfin, trois pages de
caresses à rebrousse-poil de ce genre-là. Pauvre petite,
va ! Il est peut-être en train de se tailler une porte de
sortie de son côté. Bondance ! les journaux en sont
pleins, de ces mariages de soldats canadiens avec des
Anglaises, des Françaises, des Hollandaises et le bon
Dieu sait qui ! (*Vidée, elle retourne à sa robe.*)

LE PÈRE

(*A* MARIE-ANGE.) Écoute, Marie-Ange : t'es ben sûre
de l'aimer, ton Tit-Coq, hein ?

MARIE-ANGE

(*La tête perdue.*) Ah !... j'en suis au point que... je suis tellement embrouillée, moi... Vous achevez de me rendre folle avec vos tracasseries... Au lieu de m'encourager, tout le monde est contre moi !

LE PÈRE

(*Qui ne badine plus.*) Ben non, ma fille ! Je comprends que t'as de la peine, mais faudrait pas que tu dises des folies. On n'est pas contre toi ; on t'aime ben trop pour ça. Seulement, mets-toi à notre place, pour une minute : ta mère et moi, on lui en veut pas le moindrement à ce jeune homme-là...

LA MÈRE

...mais on n'est pas amourachés de lui, nous autres !

LE PÈRE

Eh non ! Ça fait qu'il est ben possible qu'on le voie pas tout à fait du même œil que toi. Pour nous autres, c'est un petit soldat qui est venu passer quelques jours à la maison, au temps des Fêtes, l'hiver d'avant. Il nous a fait l'effet d'un bon diable, ben sympathique. Seulement on savait pas d'où il venait... et on le sait pas plus.

MARIE-ANGE

C'est pas de sa faute s'il est sans famille.

LE PÈRE

Non... C'est pas de sa faute ; on aurait le cœur à la mauvaise place de le penser. D'un autre côté, il est ben difficile de prendre ça pour une garantie en sa faveur.

LA MÈRE

Il t'a fréquentée quelques semaines et, là, depuis quasiment deux ans, il est allé se battre à l'autre bout du monde. Si jamais il en revient, le bon Dieu est tout seul à savoir quand ça va être... et comment !

LE PÈRE

Pendant ce temps-là, on te voit te morfondre et te tourner les sangs à cause de lui. On n'est peut-être pas ben fins, mais on t'aime : alors blâme-nous pas d'avoir du chagrin.

LA MÈRE

Oui... et de vouloir t'aider du mieux qu'on peut, en pensant à ton bien avant tout ! (*Elle pleurniche.*)

LE PÈRE

Mais, malgré ça, si tu es ben sûre de l'aimer, ce petit gars-là, attends-le tant que tu voudras et marie-toi avec. Après tout, ta vie, c'est à toi ; tu as ben le droit de l'arranger à ton goût. Ta mère et moi, dans le temps, on a fait ce qu'on a voulu de la nôtre, sans te demander permission. Seulement, ce que Germaine disait tantôt, c'est plein de bon sens : il faudrait que tu sortes un peu.

A C T E I I

LA MÈRE

On n'a encore rien contre lui, ton Tit-Coq, mais on serait loin de le bénir si on te voyait dépérir à cause de lui et te rendre malade pour de bon !

LE PÈRE

Ça fait qu'à soir, si tu veux mon avis, tu vas sortir ta gaîté des boules à mites, tu vas te mettre sur ton trente-six et tu vas aller leur montrer comment ç'a le tour de frétiller dans la place, une petite Desilets de Saint-Anicet.

GERMAINE

(*Paraît avec la robe de bal de* MARIE-ANGE.) En tout cas, comptez sur moi : je vais vous la pomponner, le temps de crier « domino » !

MARIE-ANGE

(*Essuyant ses larmes.*) J'ai pas de robe à mon goût.

GERMAINE

(*Catégorique.*) Celle-là va faire !

LA MÈRE

Encore une fois, si tu as les idées trop noires, laisse l'ouvrage et viens passer quelques jours à la maison avec nous autres.

LE PÈRE

Comme de raison ! On est encore capables de te faire vivre, tu sais, en se privant un peu. D'abord, ça fera seulement du bien à ta mère de manger moins. Et puis ça coûtera moins cher que d'élargir les portes à cause d'elle.

(*La sonnerie du téléphone interrompt une vague protestation de la* MÈRE.)

GERMAINE

(*A l'appareil.*) Allô !... Oui, attends un peu, Léopold : il y a une bonne nouvelle pour toi. (*A* MARIE-ANGE.) Arrive !

LE PÈRE

(*La poussant dans le dos.*) Envoye, envoye ! Autrement, morsac ! je te donne des tapes sur les fesses, comme quand t'étais petite, belle comme un cœur, ben gâtée parce que t'étais la dernière de la famille... (*Subjuguée,* MARIE-ANGE *se laisse conduire au téléphone.*) ...et que tu te roulais à terre pour qu'on te mette un peu de cassonade après ta suce !

MARIE-ANGE

(*D'une voix terne, à l'appareil, pendant que le rideau tombe.*) Allô...

R I D E A U

TABLEAU V

LA CHAMBRE DU PADRE. *Dans un camp de rapatriement, quelque part en Angleterre. Table, lit pliant, caisse de bois servant de tabouret, etc.*

(Le PADRE, *en bras de chemise, finit de se raser ; sur la table, miroir, savon à barbe, blaireau, etc. Sur le lit, sa valise, ouverte mais non défaite, indique qu'il vient de prendre possession de la chambre. Au mur, pendus à un crochet, son képi et son imperméable. Sur une chaise, sa vareuse et son col.)*

(On frappe à la porte.)

LE PADRE

(Le nez dans sa serviette.) Entrez !

TIT-COQ

(Paraît. Il porte le costume des soldats au cachot.)

LE PADRE

Bonjour, Tit-Coq !

TIT-COQ

Ah ! ben... (*Il s'arrête, stupéfait.*)

LE PADRE

Surpris, hein ?

TIT-COQ

Oui. (*Si la surprise est heureuse, rien n'y paraît.*)

LE PADRE

(*Le sermonne avec bonté.*) Dis donc, je te félicite :
la première fois en six mois que j'ai la chance de te
voir, je dois te tirer du cachot pour te parler ! (TIT-COQ
se tait, les yeux au plancher et la mâchoire dure.) J'arrive ici tantôt, je m'empresse de prendre de tes nouvelles : on m'informe que tu as trinqué un peu fort, la
semaine passée, que tu as mené un sabbat du diable et
que tu es à l'ombre depuis... Il est plutôt rare qu'un gars
fasse des bêtises au camp de rapatriement, juste avant de
prendre le bateau qui le ramènera au pays. Sans compter
que tu peux ternir ton dossier avec ça.

TIT-COQ

Je m'en sacre : la guerre est finie !

LE PADRE

Oui, la guerre est finie, mais tu es encore dans l'armée et toujours soumis à la discipline.

ACTE II

TIT-COQ

(*Hostile.*) Si c'est pour m'engueuler que vous m'avez fait venir, vous tombez mal, je vous le dis tout de suite !

LE PADRE

Bon ! Pour être si aimable, tu caches sûrement des tracas, toi... Tu n'avais pas coutume de t'enivrer... A moins que tu n'aies bien changé en mon absence. (TIT-COQ *ne répond pas.*) Tiens, prends une cigarette... Ça t'aidera à ouvrir la bouche. (*Il lui en offre une.*)

TIT-COQ

(*Après une seconde d'hésitation, il accepte avec l'avidité d'un fumeur privé depuis une semaine.*)

LE PADRE

Ça va si mal que ça ?... Qu'est-ce qu'il y a ? Allons, parle ! La vie est courte et je suis pressé.

TIT-COQ

En tout cas, avant de retourner là-bas, je veux savoir.

LE PADRE

Savoir quoi ?

TIT-COQ

Ce qui s'y passe : depuis trois mois, j'ai pas reçu une sacrée lettre !

LE PADRE

Ah !

TIT-COQ

Trois mois que j'attends, maudit ! Trois mois que je me casse la tête à essayer de comprendre. Et je veux savoir ! Etes-vous au courant de quelque chose, vous ?

LE PADRE

Mon pauvre vieux, comment veux-tu que j'en sache plus long que toi ?

TIT-COQ

Jean-Paul vous a rien dit ?

LE PADRE

Eh non ! D'ailleurs je l'ai à peine entrevu depuis un mois, lui. Mais pourquoi ne lui as-tu pas écrit ? Il a sans doute reçu des nouvelles de sa famille.

TIT-COQ

Je lui ai envoyé un mot, il y a deux mois, puis un autre, quinze jours après. Il ne m'a pas répondu. Et ça, c'est louche ! On était trop comme les deux doigts de la main pour qu'il me laisse tomber sans raison d'un coup sec.

LE PADRE

Il doit y avoir malentendu ; c'est sûrement ce qu'il t'apprendra lui-même tout à l'heure.

TIT-COQ

Qui ça ?

LE PADRE

(*Abat son jeu.*) Jean-Paul. Il sera ici d'une seconde à l'autre. La compagnie C vient à peine d'entrer au camp, et je vous ai fait demander tous les deux en même temps : je voulais vous voir la binette au moment où vous vous tomberiez dans les bras après six mois de séparation. Quand ta punition devait-elle finir ?

TIT-COQ

Demain midi.

LE PADRE

Eh bien ! j'ai obtenu du commandant ta liberté immédiate. De cette façon, vous pourrez passer l'après-midi ensemble. Mais ne fêtez pas votre réunion trop fort, hein ? Si on te relâche sur parole, ce n'est pas pour que tu perdes le nord encore une fois.

(*On a frappé à la porte pendant la dernière réplique.*)

LE PADRE

Oui ! (JEAN-PAUL *paraît.*) Entre, mon Jean-Paul !

JEAN-PAUL

(*Court lui serrer la main.*) Allô, Padre ! Tu parles d'une surprise !

LE PADRE

Et ce n'est pas tout : (*Désignant* TIT-COQ, *à l'écart au fond de la pièce.*) voici un gars qui avait bien hâte de te contempler le bout du nez.

JEAN-PAUL

(*Se retourne et l'aperçoit : sa gaîté se fige.*)

TIT-COQ

(*Fonce sur lui.*) Qu'est-ce qu'il y a ? Quelle mauvaise nouvelle t'as pour moi, toi ?

JEAN-PAUL

(*Perdant contenance.*) J'en ai pas.

TIT-COQ

Tu sais quelque chose : c'est pas pour rien que t'as l'air bête. Tu sais ce qui se passe là-bas et tu vas me le dire !

JEAN-PAUL

Je veux parler au Padre, avant de...

A C T E I I

TIT-COQ

(*Blême de rage.*) Non, envoye ! En pleine face ! Depuis trois mois que je me prépare, je m'attends au pire. (*L'empoignant par les revers de sa vareuse.*) Tu vas me le dire, parce que moi, je ne peux plus vivre comme ça, comprends-tu ? Il faut que je sache. Parle, ou je te desserre les dents d'un coup de poing !

JEAN-PAUL

(*Vaincu.*) Eh ben ! tant pis, c'est toi qui l'auras voulu. (*Il sort de sa poche une coupure de journal qu'il tend à* TIT-COQ.)

TIT-COQ

(*Y jette un coup d'œil hébété, puis, dans un réflexe incontrôlable, gifle* JEAN-PAUL. *Il s'élance ensuite vers la porte et disparaît.*)

JEAN-PAUL

(*Qui a reçu le coup sans broncher.*) Je voulais que vous lui appreniez l'affaire à ma place : je savais ben que moi, je m'y prendrais mal et que je lui ferais une peine du diable.

LE PADRE

(*Ramasse le papier qu'a laissé tomber* TIT-COQ *et lit à voix basse.*) « Le 24 mai dernier, avait lieu dans la plus stricte intimité, en l'église de... (*Il s'arrête, consterné.*)

JEAN-PAUL

(*Humilié.*) Ça n'arrange rien que j'aie honte pour elle !

LE PADRE

Ce n'est pas à toi de la juger, mon pauvre vieux.

R I D E A U

TABLEAU VI

Un coin du « Half Moon », *taverne des environs. Devant une banquette d'angle, une table ronde garnie de deux verres, d'une bouteille, d'un paquet de cigarettes et d'un cendrier plein de mégots.*

(Tit-Coq, *assis à la table, est en train de boire. A côté de lui, une racoleuse partage sa bouteille et son infortune. Ils sont déjà gris ;* Tit-Coq *surtout boit sec et ferme. Elle fait de son mieux pour être à la hauteur de la situation.*)

TIT-COQ

(*Lui versant un coup.*) Bois, maudit ! La vie est belle ! Tu crains que certaines lettres de ta bien-aimée soient égarées et perdues, tu t'inquiètes. Mais un beau jour, la nouvelle arrive et t'es rassuré : elle est tout simplement mariée ! Ça soulage le cœur. L'angoisse te lâche. Bois ! Faut pas en perdre une goutte, de ce bonheur-là. Aide-moi à en jouir, c'est trop pour mes moyens. Comme le disait ma grand-mère maternelle : « Y a toujours des limites à ce qu'un homme soit heureux tout seul ! »

ROSIE

(*Perdue.*) Why don't you speak English ?

TIT-COQ

Ça, c'est de mes affaires. D'abord, penser à elle en anglais, ça me mêlerait les cartes. Mais t'en fais pas pour ça : entre nous, ce sera à chacun sa langue et à chacun sa religion. Ah ! et puis, tu aurais beau savoir le français d'un bout à l'autre et sens devant derrière, à quoi ça t'avancerait ? Moi-même, je comprends moins que rien à toute l'histoire, parce que j'aurais mis la main au feu qu'elle m'aimait jusqu'à « ainsi soit-il, amen » ! Seulement on se trompe des fois, hein ?

ROSIE

Do you like me, dearie ?

TIT-COQ

Ah oui ! Very much ! Je te connais depuis une demi-heure et déjà je t'adore comme un vrai petit fou. Mais attends donc encore quelques minutes avant de faire des projets d'avenir : sait-on jamais avec cette chienne de vie !

ROSIE

(*Les yeux vides.*) My name is Rosie.

TIT-COQ

(*Ahuri.*) What ?

ROSIE

My name is Rosie.

TIT-COQ

(*Distrait.*) Enchanté... Elle, je l'appelais Toute-Neuve.
Et je l'ai donnée à un autre, toute neuve. Maudit fou !

ROSIE

Rosie Martin...

TIT-COQ

Mam'zelle Toute-Neuve ! Sois tranquille, c'est un nom
que je te donnerai rarement.

ROSIE

(*Flasque.*) I like you, duckie !

TIT-COQ

Entendu. Seulement ferme ta gueule, tu m'énerves !
(*Enchaînant.*) Et là, tout est fini. Dommage, parce que
j'ai été ben heureux avec elle, moi. Et le plus fendant,
c'est qu'elle prétendait m'aimer. Ouais. Prétendait m'aimer pour l'éternité, même un peu plus... (*A* ROSIE.)
En veux-tu la preuve ?

ROSIE

I'll have another one, yes... (*Elle se verse un coup.*)

TIT-COQ

(*Sort de sa poche un paquet de lettres et en prend
une au hasard.*) Tiens... n'importe laquelle ! (*Lisant la
date.*) « Dix-huit novembre... » (*A* ROSIE.) Ça fait à
peine huit mois. Écoute ben : (*Il lit.*) « Mon beau

Tit-Coq chéri... C'est dimanche aujourd'hui. Ma tante
Clara est venue faire un tour, comme d'habitude. Elle
se berce en jasant devant moi. Je ne sais pas ce qu'elle
dit, je ne veux pas l'écouter : je veux penser seulement
à toi, toutes les minutes de la journée. A toi que j'aime
plus que tout au monde, mon beau Tit-Coq d'amour,
à toi que j'aimerai toujours. J'ai mis ton portrait devant
moi... » (*Cessant de lire, à* ROSIE.) C'est comme ça
jusqu'au bout ! Un gars qui lit ça, qu'est-ce que tu veux
qu'il pense ? C'est pas de l'amour, ça ? C'est pas de
l'amour ?

ROSIE

(*Sort de sa torpeur, tout heureuse de reconnaître sa
devise professionnelle.*) Yes... L'amôr, tôjours l'amôr...

TIT-COQ

Ah oui !... Toujours, toujours, toujours !

ROSIE

(*Lui roucoule tendrement dans le nez.*) « Tra la la,
la la, la la... »

TIT-COQ

(*Déchire la lettre et en lance les morceaux en l'air
comme des confettis.*) Belle guidoune, va ! Eh oui ! t'as
ben raison : pourquoi se casser la tête quand la vie est
si simple ? (*Ils sont là, les yeux dans les yeux, comme
deux amoureux.*)

ROSIE

Are you sure you like me ?

TIT-COQ

Entre nous deux, tu m'écœures. Je pensais pourtant
en avoir fini pour la vie avec des putains de ton espèce !
Tu me rappelles mon jeune temps... avant le commencement du monde.

ROSIE

If you don't like me, tell me before it's too late in
the evening...

TIT-COQ

Toi aussi, t'as peur de perdre ton temps à attendre,
hein ? Vous êtes ben toutes pareilles, vous autres, les
femmes ! Passer d'un homme à l'autre... Des fois ça se
fait dans la même nuit, comme pour toi ; des fois ça
prend plus de temps, comme pour elle, mais à la longue
vous finissez toujours par là !

ROSIE

(*Suave.*) Darling, you have the money, haven't you ?

TIT-COQ

The money ? (*Il sort de sa poche une poignée de bil-
lets de banque et lui en plante un dans le corsage.*)
Tiens ! T'es tranquille et satisfaite, là ? (*Rassurée, elle
s'est collée contre lui.*) Toi, tu m'aimes, c'est pas ordinaire ! Ça fait chaud au cœur d'être entouré de tendresse
comme ça.

ROSIE

You're cute ! (*Elle lui passe le bras autour du cou.*)

TIT-COQ

(*La remet carrément à sa place.*) Donnes-en pas plus que le client en demande, hein ? Je te ferai signe quand le moment divin sera venu... si jamais il vient ! (*Il chantonne l'air sur lequel il a dansé avec* MARIE-ANGE *à la fin du premier acte.*)

ROSIE

(*Le nez dans son verre, entonne de son côté.*) « Roll out the barrel... We'll have a barrel of fun !... »

TIT-COQ

(*Apercevant quelqu'un.*) Femme, cache la boisson : v'là monsieur le curé ! S'en vient faire sa visite de paroisse. (*Comme le* PADRE *paraît à droite.*) Ah ! bonjour, cher ami. Bienvenu dans notre modeste mais coquet petit home ! (*A* ROSIE.) Chérie, comment tu t'appelles, toi, déjà ? Ah oui, Rosie !... Rosie, offre donc une chaise à monsieur l'abbé. (*Il la pousse hors du banc.*)

ROSIE

(*Se trouve face à face avec le* PADRE.) Oh ! a priest... My Gawd !

LE PADRE

(*Lui glisse un bank-note dans la main.*) Now you run along, like a good girl.

ROSIE

(*Estomaquée.*) Well, well... Thank you ! (*Sous le nez*

du PADRE.) Alleluia, alleluia ! (*Son verre à la main, elle sort en chantant.*) « Roll out the barrel !... »

TIT-COQ

(*Se versant une rasade.*) Bye-bye !

(*Le* PADRE *s'assoit à la place de la fille.*)

TIT-COQ

Encore une séparation pour la vie. Tu as ben fait de t'amener : cette pauvre jeune vierge anglaise était en train de s'amouracher de moi, éperdument. Et je serais parti, laissant un autre cœur brisé dans mon sillage. Parce que j'ai toujours été un gars chanceux, moi. Ç'a commencé le jour de ma naissance : il était né, enfin, l'enfant tant attendu. Un bel avorton de quelques livres et quart ! Et ce fut une longue allégresse qui secoua la Miséricorde, du chapelain à la mère supérieure... Encore un peu et on me nommait « Désiré » !

(*Il a fini sa cigarette, veut en prendre une autre, mais trouve son paquet vide. Le* PADRE, *qui a suivi son geste, lui en offre une et la lui allume.*)

TIT-COQ

Hé ! pourquoi tu me tournes autour, toi ? Si c'est pour faire la charité et ramasser des mérites pour le ciel, sacre-moi la paix ! Parce que moi, vois-tu, j'ai été élevé par charité, nourri par charité, changé de couches pour l'amour du bon Dieu pendant trois ans, par des sœurs qui n'avaient même pas le droit de nous montrer de l'affection : c'était contre les règlements. Et, pour comble de malheur, quand j'ai été aimé, ç'a été par charité. (*L'œil méchant.*) Ça fait que j'en ai plein le dos et deux pieds par-dessus la tête, de la charité, comprends-tu ? Si c'est pour ça que tu t'occupes de moi, décolle ! Ton âme, on te la sauvera une autre fois.

LE PADRE

Il n'est pas question de ça. Je suis venu te voir par amitié.

TIT-COQ

Dans ce cas-là, passe au salon, t'es le bienvenu ! Qu'est-ce que c'est, ton nom de baptême, toi, déjà ?

LE PADRE

Louis.

TIT-COQ

Eh ben ! Tit-Louis, vire ton collet de bord et viens prendre un coup avec moi. Tu m'as connu dans le temps où je tâchais de faire le bon petit garçon ; seulement c'est fini, ça. Et tu vas te rendre compte que je peux être aussi amusant que n'importe qui. Ah oui ! parce que, un moment, j'ai essayé d'avoir de l'idéal, figure-toi. J'en avais de l'idéal, que j'en dégouttais ! Prenais pas un verre, ramassais mon argent pour m'acheter une couchette de noces. Je voulais être un homme comme tout le monde, moi, le petit maudit bâtard ! (*Il chante à tue-tête.*) « Mais j'en reviens ben, d'ces affaires-là ! »

146

(*Au* PADRE.) Parce que l'amour, Tit-Louis, l'amour jusqu'au trognon comme dans les romans, ça vaut pas de la chiure de mouches ! Les filles à tant de l'heure, c'est encore ce qui se fait de plus sûr. Au moins, avec elles, tu sais à quoi t'en tenir. (*Il vide son verre au nez du* PADRE *qui l'écoute, navré.*) Sais pas ce que je vais faire de mon corps, maintenant... A moins que j'entre en religion. Ça se porte beaucoup, après les grandes déceptions. (*La voix pleine d'une onction cléricale.*) « Révérend frère Tit-Coq, vos parents vous demandent au parloir. » (*Il s'esclaffe, puis se verse un coup.*) Hé ! trinque donc, toi. Ah oui ! c'est vrai, t'as pas de verre... (*Il appelle.*) Waiter ! Où est-ce qu'il est fourré, lui ?

LE PADRE

Je trouve que tu bois beaucoup. Tu ne crains pas d'être malade demain ?

TIT-COQ

Malade ? Je compte là-dessus. Malade comme un cochon ! Ça va me faire une belle distraction. La boisson, tu sais, c'est comme l'amour : l'effet passe vite, mais le temps que ça dure, la vie est belle ! (*Il gueule.*) « O sole mio... » (*Épuisé, il s'affaisse, la tête sur le bras.*)

LE PADRE

Tu ne crois pas qu'il vaudrait mieux aller finir ça au camp ? Là, tu pourrais boire à ton goût et te coucher quand tu serais fatigué.

TIT-COQ

Ouais... Parce que moi, si j'avais moins de plaisir, je dormirais cinq minutes.

LE PADRE

Viens donc ! D'autant plus que tu dois partir demain midi pour aller prendre le bateau. Il te faudra être sur le pont en même temps que les autres. (*Il se lève et le prend doucement par le bras.*)

TIT-COQ

(*Se laissant faire.*) Ben oui ! c'est vrai : on retourne dans nos foyers demain, avec la satisfaction du devoir accompli. Je vas arriver là-bas attendu à bras ouverts, vu que la Croix-Rouge sera à la gare... avec du café et des beignes, servis par de longues femmes sèches ! Après ça, débandade et règlement de comptes. Ah oui ! parce que, cette histoire-là, c'est pas fini, tu sais. C'est pas fini, entends-tu ça ?

LE PADRE

(*Cherche à l'entraîner, après avoir laissé un pourboire sur la table.*) C'est bien. On en reparlera.

TIT-COQ

(*Le repousse, écumant de rage.*) Non ! On n'en reparlera pas. On n'en reparlera plus jamais, étant donné qu'à partir d'aujourd'hui vous allez disparaître de devant ma face, toi et le beau-frère manqué. Il est peut-être innocent, lui, dans tout ça, mais je pourrai jamais lui pardonner le grand plaisir qu'il m'a fait en m'apprenant cette nouvelle-là. C'est, entre nous, un de ces liens qui nous séparent pour la vie ! Ça fait que j'ai fini de lui voir la fiole. La tienne avec. Compris ? Et si on n'est pas sur le même bateau, tant mieux ! Comme ça, vous pourrez rire de moi à votre aise. Parce que, dans le fond, ça doit être drôle. (*Il ricane.*) Ah oui ! c'est toujours drôle de voir quelqu'un tomber sur le derrière, même s'il se casse l'os mignon.

LE PADRE

Viens... viens !

TIT-COQ

Seulement profitez-en : ça sera drôle rien qu'un temps. (*Solennel.*) Car Dieu, qui nourrit les pauvres petits oiseaux abandonnés, ne peut pas les empêcher, le moment venu, de lâcher leur crotte !... Et c'est là qu'il y aura des pleurs et des grincements de dents ! Pas de mon bord. Ah non ! De mon bord, ça va rire à mon tour. Ça va rire jaune, mais ça va rire ! En maudit bout de crime que ça va rire, comprends-tu ?

(*Son ricanement s'est changé en un sanglot. Et c'est une loque bien pitoyable que le* PADRE *traîne hors de scène pendant que le rideau tombe.*)

R I D E A U

TROISIÈME ACTE

TABLEAU I

A LA PORTE, CHEZ GERMAINE. *Même décor qu'au quatrième tableau du premier acte. La scène est sombre ; seul un réverbère éclaire l'entrée.*

(GERMAINE, *venant de gauche, se dirige vers la porte. Comme elle met la clef dans la serrure,* TIT-COQ *sort de l'ombre, à droite.*)

TIT-COQ

Allô, Germaine.

GERMAINE

(*Sursaute.*) Mon Dieu ! que j'ai eu peur.

TIT-COQ

Eh oui ! Un revenant, ça fait toujours drôle.

GERMAINE

(*La surprise lui a coupé le souffle un instant.*) Bonsoir, Tit-Coq.

TIT-COQ

J'ai sonné tantôt... sans que tu répondes, évidemment. Ça fait que j'ai décidé d'attendre.

GERMAINE

(*Mal à l'aise.*) C'est ça.

TIT-COQ

J'ai appris que tu logeais toujours ici.

GERMAINE

Oui, j'ai gardé l'appartement seule quand... (*Elle hésite.*)

TIT-COQ

...Marie-Ange s'est mariée, Marie-Ange s'est mariée ! Dis-le. Pourquoi te gêner ? C'est bien simple !

GERMAINE

Tu ne montes pas ?

TIT-COQ

Non, merci. Pour les visites de cérémonie, je repasserai.

GERMAINE

(*D'une voix qu'elle voudrait sereine.*) Qu'est-ce que je peux faire pour toi ?

A C T E   I I I

TIT-COQ

Tu t'en doutes ben un petit brin?

GERMAINE

(*Candide.*) Non...

TIT-COQ

Jean-Paul a eu la chance de débarquer une journée avant moi ; alors il a dû vous mettre au courant de mes projets, sans même prendre le temps de jeter son sac à terre.

GERMAINE

Eh! non...

TIT-COQ

(*Incrédule.*) Ben, voyons donc!

GERMAINE

Ma grand-conscience!

TIT-COQ

Ouais! Comme de raison, t'es prise de court, tu te demandes sur quel pied danser, ça fait que tu cries « ma grand-conscience », mais personne te croit. (*Devant le silence de* GERMAINE :) Bon! si tu tiens à faire l'innocente jusqu'au bout, je vais ben être obligé de te le dire en blanc et noir : je veux la revoir.

GERMAINE

Marie-Ange?

TIT-COQ

Oui.

GERMAINE

Pauvre toi, elle est mariée ! Qu'est-ce que ça va te donner ?

TIT-COQ

Rassure-toi : je n'ai pas l'intention de me pendre après elle. Seulement, les bons comptes font les bons amis. Et, comme c'est là, mon compte est en souffrance, ce qui pourrait être dangereux pour notre amitié.

GERMAINE

Ça veut dire quoi, ça ?

TIT-COQ

Que je tiens à lui débiter ce que je pense d'elle.

GERMAINE

C'est une bien petite consolation.

TIT-COQ

Les temps sont durs : on prend ce qui passe.

GERMAINE

(*Cherchant une échappée.*) Elle ne pourra pas venir, Marie-Ange, parce qu'elle est en voyage...

TIT-COQ

(*Vivement.*) Où ça ?

A C T E   I I I

GERMAINE

Heu... Bien...

TIT-COQ

Ben, t'as menti ! Je regrette infiniment, mais t'as menti ! Tu y as pensé un peu trop tard, à celle-là. Mieux
que ça, je vais te tirer les cartes, moi, et t'apprendre
que vous avez passé la soirée ensemble, à vous demander quelle gueule vous feriez, si jamais je reparaissais
au tableau. Seulement, vous m'attendiez moins vite.
Non ! tu sais ben qu'elle est en ville : elle, quitter son
cher mari comme ça ? Ben non !

GERMAINE

(*Qui croit bien faire.*) Justement, il est loin, son
mari.

TIT-COQ

Pas vrai qu'ils sont déjà chacun de leur bord ?

GERMAINE

Non, mais il a reçu son appel militaire, il y a deux
mois.

TIT-COQ

Ah ! ben, ça c'est dommage en maudit. Alors, il est
dans l'armée, lui aussi ? Ça, c'en est une bonne ! Où
est-ce qu'ils l'ont casé ?

GERMAINE

Il est cantonné quelque part en Ontario.

TIT-COQ

Pauvre garçon ! Ç'a dû être une corvée de le sortir de la couchette, hein ? (*Il ricane.*) Oui, elle est bonne, celle-là. Le bon Dieu est plus juste qu'on pense, après tout. (*Amer.*) Grand fanal, va ! Fils à papa ! Belle famille d'hypocrites respectables ! Grosse poche d'argent sur le dos ! Tournait alentour depuis longtemps, le salaud ! J'espère qu'elle a gardé les brouillons des lettres d'amour qu'elle m'envoyait : ça doit lui faciliter la tâche de lui écrire qu'elle l'adore.

GERMAINE

Pour en revenir à Marie-Ange...

TIT-COQ

(*Tranchant.*) Pour en revenir à Marie-Ange, partie ou non, tu lui diras que je veux la voir.

GERMAINE

Je peux te répondre tout de suite qu'elle ne voudra pas te rencontrer.

TIT-COQ

Ah bon ! Si elle préfère ne pas se déranger, elle, je peux ben faire tout le chemin, moi. (*Il sort un papier de sa poche et lit :*) « Madame Léopold Vermette, 3217, rue des Érables. » (*A* GERMAINE.) C'est ben ça, son adresse ? Et puis, si mon tuyau est bon, c'est celle des beaux-parents Vermette aussi ? Si elle tient à ce que j'aille jouer ma petite scène là, il y a toujours moyen de s'entendre.

A C T E   I I I

GERMAINE

Tu ferais du chantage ?

TIT-COQ

Quand on n'a pas le choix, on fait ce qu'on peut, hein ?

GERMAINE

Il y a de la police, tu sais, contre ces manigances-là.

TIT-COQ

Ah oui ! envoyez donc : ça ferait un sacré beau procès.
Si l'intimité du jeune ménage peut y gagner, je suis en
faveur cent pour cent ! (*La colère lui a fait élever la
voix.*) Vous avez l'air d'oublier que j'ai rien à perdre,
moi, dans tout ça.

GERMAINE

Pas si fort ! Qu'est-ce que les voisins vont dire ?

TIT-COQ

(*Éclatant.*) Je m'en sacre pas mal, des voisins, moi.
En fait, je me sacre pas mal de tout le monde !

GERMAINE

(*Qui perd de plus en plus contenance.*) Où est-ce que
tu voudrais la voir ?

TIT-COQ

En haut, ici. C'est confortable et discret tant qu'il
faut. D'ailleurs on a déjà été tellement heureux là-de-

dans : pourquoi changer de local ? Elle peut être tranquille, je lui ferai pas de mal ; je la toucherai pas, je
l'approcherai même pas. On va se parler entre quatre-z-
yeux, rien de plus. Après, ni vu ni connu, je fiche le camp
de par ici.

GERMAINE

(*Capitulant.*) Enfin, je lui ferai le message.

TIT-COQ

C'est ça. En haut, demain soir, à huit heures. Et je
t'avertis : que Jean-Paul se mêle de ses affaires, ou il
y aura du cassage de vitres ! Quant à toi, tu pourras aller
prendre l'air dans le corridor. Pas qu'on ait des gros se-
crets à se dire. Mais j'ai l'impression qu'elle aimera
autant être seule à m'entendre ; elle aura assez honte
comme ça. D'ailleurs ça va se faire vite. Cinq minutes
au plus. Juste le temps qu'il faut pour arracher une
dent pourrie. Une dent qui peut agacer longtemps, si on
la néglige... et faire un abcès. T'as compris ?

GERMAINE

Oui, j'ai compris.

TIT-COQ

Alors je n'ai plus rien à dire. Bonsoir ! (*Il tourne les
talons et sort.*)

RIDEAU

TABLEAU II

LA CHAMBRE DE GERMAINE. *Même décor qu'au dernier tableau du premier acte. Cependant certains meubles et accessoires ont pu changer par suite du départ de* MARIE-ANGE.

(*C'est le soir.* GERMAINE, *seule en scène, est au téléphone.*)

GERMAINE

(*Nerveuse, à l'appareil.*) Ouais !... Ouais !... Eh ben ! tu sauras, Jean-Paul, que les « peut-être ben » et les « t'aurais dû », il est trop tard pour ça. D'ailleurs, j'y ai repensé, moi aussi, toute la journée et puis, à mon avis, c'est le meilleur moyen d'en sortir. Si Marie-Ange avait refusé de le rencontrer, cherche quel tapage il aurait pu faire. Tandis que là, il va la revoir tantôt, il va se vider le coeur et puis ensuite, comme il l'a promis hier : ni vu ni connu, il va disparaître dans la brume... Quoi ?... Ben ! non : tu sais bien que t'es mieux de pas te montrer. Il l'a dit hier soir : y aura de la casse s'il te revoit le bout du nez... Ton père ? Mais qu'est-ce qu'il viendrait faire là-dedans, lui ?... Oui, il est en ville pour ton arrivée, je suis au courant. Mais... Qu'est-ce que vous pourriez tant changer, mon doux Seigneur ?... Ah ! lui casser les reins, c'est des arguments d'homme bête. Tout ce que vous gagneriez ce serait d'envenimer les choses, tu devrais être assez intelligent pour le comprendre...

(*Coup de sonnette.*)

GERMAINE

Tiens ! ça sonne à la porte. (*Elle presse le bouton-déclencheur.*) Ce doit être elle. Attends une seconde... (*Elle ouvre la porte et jette un coup d'œil rapide dans l'escalier. Revenant à l'appareil.*) Oui, c'est elle. Excuse-moi... Mon Dieu, mon Dieu !... (*Excédée.*) Bon, comme tu voudras ! (*Bas.*) Mais prends garde à ce que tu vas lui dire, toi ! Elle doit être assez à l'envers comme ça !

MARIE-ANGE

(*Entre. Elle est pâle et s'appuie au chambranle de la porte.*)

GERMAINE

Qu'est-ce qu'il y a ?

MARIE-ANGE

Je viens de l'entrevoir...

GERMAINE

Où ça ?

MARIE-ANGE

Il guettait mon arrivée au coin.

GERMAINE

(*La main sur le récepteur.*) Eh ben ! tu te pâmeras une autre fois : Jean-Paul est au téléphone, il a un mot à te dire.

ACTE III

MARIE-ANGE

Non... je ne veux pas lui parler.

GERMAINE

(*A l'appareil.*) Écoute, Jean-Paul, le temps des discussions est fini. D'autant plus qu'il est déjà rendu au coin, lui... (*Hors d'elle-même.*) Mon doux Seigneur ! tu devrais comprendre qu'on est assez énervées comme ça toutes les deux... Ah ! va donc au bonhomme, si t'es si bête ! (*Elle raccroche violemment.*)

MARIE-ANGE

(*S'est laissée tomber sur une chaise.*) Il a raison : je n'aurais jamais dû venir.

GERMAINE

Pauvre petite fille, tu sais bien que tu n'avais pas le choix.

MARIE-ANGE

J'ai peur...

GERMAINE

Mais non, rassure-toi ! Il l'a dit : il te fera pas de mal.

MARIE-ANGE

(*Pour elle-même.*) C'est pas de lui que j'ai peur.

GERMAINE

(*Éclatant.*) Tâche de te remonter un peu, toi ! C'est pas le moment des crises de nerfs. (*Elle est, à sa manière, aussi troublée que* MARIE-ANGE.) Après tout, qu'est-ce qu'il a tant à te reprocher ? Laisse-toi engueuler comme du poisson pourri... Donne-lui raison sur toute la ligne : avec ces caractères bêtes-là, c'est la meilleure manière d'en finir au plus vite.

(*Sonnerie sèche à la porte.*)

GERMAINE

(*Sursautant.*) Mon Dieu, s'il me trouve ici, lui, il m'étripe ! (*Elle se jette un gilet de laine sur les épaules.*) Bon ! je lui ouvre la porte et je monte chez madame Lassonde. Si tu as besoin de moi, frappe deux coups sur le calorifère : je descendrai tout de suite. (*Elle presse le bouton-déclencheur.*) Et t'inquiète pas, hein ? J'ai promis une messe aux âmes du purgatoire si tout s'arrange pour le mieux ! (*Elle sort, laissant la porte entrebâillée.*)

(TIT-COQ *paraît, l'œil méchant, et fonce jusqu'à l'avant-scène, où* MARIE-ANGE *est assise à droite.*

Un temps. Il voudrait parler, mais une émotion grandissante, contre laquelle il lutte de toutes ses forces, lui paralyse la gorge. Ils sont maintenant figés dans un silence de plomb.)

MARIE-ANGE

(*Au bout de quelques secondes interminables, presque tout bas.*) Parle... je t'en supplie !

ACTE III

TIT-COQ

(*Essayant de se ressaisir.*) Ce que j'avais à te dire, c'était clair et net... mais depuis que j'ai mis les pieds ici-dedans... (*Comme il ne trouve pas ses mots, il a un geste indiquant qu'il est perdu. Puis, à travers son trouble :*) Oui... Malgré moi, je pense à ce que ç'aurait pu être beau, cette minute-ci... et à ce que c'est laid... assez laid déjà sans que je parle.

(*Un temps. Puis d'une voix d'abord mal assurée qui, à mesure qu'il reprendra la maîtrise de lui-même, se durcira jusqu'à la colère froide.*) Mais, s'il y a une justice sur la terre, il faut au moins que tu saches que t'es une saloperie ! (*Il s'est tourné vers elle.*) Une saloperie... pour t'être payé ma pauvre gueule de gogo pendant deux ans en me jurant que tu m'aimais. C'était aussi facile, aussi lâche de me faire gober ça que d'assommer un enfant. Avant toi, pas une âme au monde s'était aperçue que j'étais en vie ; alors j'ai tombé dans le piège, le cœur par-dessus la tête, tellement j'étais heureux ! T'es une saloperie ! Et je regrette de t'avoir fait l'honneur dans le temps de te respecter comme une sainte vierge, au lieu de te prendre comme la première venue !

(*Sortant l'album de sa vareuse.*) Je te rapporte ça. Au cas où tu l'aurais oublié avec le reste, c'est l'album de famille que tu m'as donné quand je suis parti... Il y a une semaine encore, j'aurais aimé mieux perdre un œil que de m'en séparer. Seulement je me rends compte aujourd'hui que c'est rien qu'un paquet de cartons communs, sales et usés. (*Il le lance sur le divan.*) Tu le jetteras à la poubelle toi-même !

Maintenant, je n'ai plus rien de toi. A part ton maudit souvenir... Mais j'arriverai bien à m'en décrasser le cœur, à force de me rentrer dans la tête que des femmes aussi fidèles que toi, il en traîne à tous les coins de rue ! (*Il se dirige vers la porte.*)

MARIE-ANGE

(*Sans un geste, elle a tout écouté, la tête basse.*) Non !... Va-t'en pas comme ça. Attends... attends une seconde.

TIT-COQ

(*S'arrête, tourné vers le fond.*)

MARIE-ANGE

(*Après un temps, presque tout bas.*) Je te demande pardon.

TIT-COQ

(*Abasourdi.*) Quoi ?

MARIE-ANGE

Je te demande pardon.

TIT-COQ

(*Il est resté un moment décontenancé.*) C'est aisé de demander pardon, quand le mal est fait... et bien fait.

MARIE-ANGE

Ça ne changera rien, je le sais.

TIT-COQ

Ce qu'il m'est impossible de te pardonner, c'est de m'avoir menti tout ce temps-là, de m'avoir menti la tête collée sur mon épaule.

MARIE-ANGE

Je ne t'ai jamais menti.

TIT-COQ

(*Que la rage a repris.*) Si tu m'avais aimé, tu m'aurais attendu !

MARIE-ANGE

(*De tout son être.*) Je ne t'ai jamais menti.

TIT-COQ

Si c'est la peur que je t'embête qui te fait t'humilier devant moi, tu peux te redresser. Ton petit bonheur en or, c'est pas moi qui te le casserai : je vais disparaître des environs comme une roche dans l'eau. Si tu as eu des torts, la vie se chargera bien de te punir pour moi.

MARIE-ANGE

Je suis déjà punie tant qu'il faut, sois tranquille !

TIT-COQ

Punie ?

MARIE-ANGE

Je ne suis pas plus heureuse que toi, si ça peut te consoler.

TIT-COQ

Quoi ? (*Un temps, où il essaie de comprendre.*) Pas heureuse ? Comme ça, tu es malheureuse avec lui ? A quoi ça rime, ça ?... Il t'aime pas, lui ? Il t'aime pas ?

MARIE-ANGE

Il m'aime.

TIT-COQ

Il t'aime ? Alors pourquoi es-tu malheureuse ?

MARIE-ANGE

(*Qui craint d'avoir déjà trop parlé.*) C'est tout ce que j'ai à te dire.

TIT-COQ

Quand une femme est malheureuse après six mois de mariage, pas besoin de se casser la tête pour en trouver la raison : s'il t'aime, lui, c'est toi qui ne l'aimes pas. (*Pressant.*) Il n'y a pas d'autre façon d'en sortir : c'est toi qui ne l'aimes pas !

MARIE-ANGE

(*Se cache la figure dans ses mains.*)

TIT-COQ

Tu ne l'aimes pas ! Ah ! ça me venge de lui. Il t'a déçue, hein ? Ça me venge de lui. Ben oui ! ça ne pouvait pas se faire autrement ; c'était impossible qu'il te rende heureuse, lui ! (*Se tournant vers elle.*) Alors, si tu ne l'aimes pas — si tu ne pouvais pas l'aimer — ce serait peut-être... que tu en aimes un autre ?

MARIE-ANGE

Je t'en prie, va-t'en !

TIT-COQ

Ce serait peut-être que tu en aimes toujours un autre ? Un autre à qui tu n'aurais jamais menti. Il me faut la vérité, la vérité jusqu'au bout. Il me la faut !

MARIE-ANGE

(*Éclate en sanglots.*)

TIT-COQ

Si c'est vrai, dis-le... dis-le, je t'en supplie !

MARIE-ANGE

(*Malgré elle.*) Oui, je t'aime... Je t'aime ! (*Un temps : elle pleure. Lui reste sidéré par cet aveu.*) Je suis en train de devenir folle, tellement je pense à toi... Je suis en train de devenir folle !

TIT-COQ

Marie-Ange, Marie-Ange !... Pourquoi tu ne m'as pas attendu ?

MARIE-ANGE

Je ne sais pas pourquoi... Je ne sais pas...

TIT-COQ

Pourquoi ?

MARIE-ANGE

Je voulais t'attendre, t'attendre tant qu'il faudrait, malgré le vide que j'avais dans la tête, à force d'être privée de te voir, d'entendre ta voix, de t'embrasser...

TIT-COQ

Moi non plus, je ne pouvais pas te voir, ni t'embrasser.

MARIE-ANGE

Toi, tu avais seulement à te battre contre toi-même. Tandis que moi, au lieu de m'aider à me tenir debout, tout le monde ici me poussait, m'étourdissait d'objections, me prouvait que j'avais tort de t'attendre, que j'étais trop jeune pour savoir si je t'aimais...

TIT-COQ

Les salauds !

MARIE-ANGE

Ils m'ont rendue malade à me répéter que tu m'oublierais là-bas, que tu ne me reviendrais peut-être jamais.

TIT-COQ

(*Rageur.*) Ça me le disait aussi qu'ils se mettraient tous ensemble pour essayer de nous diviser. Ça me le disait.

ACTE III

MARIE-ANGE

Ils me l'ont répété tellement, sur tous les tons et de tous les côtés, qu'à la fin ils sont venus à bout de me faire douter de toi comme j'aurais douté du Ciel.

TIT-COQ

Alors, c'est un mauvais rêve qu'on a fait. Un rêve insupportable qui vient de finir. On a rêvé qu'on s'était perdus pour la vie, mais on vient de se réveiller en criant, pour s'apercevoir que c'était pas vrai, tout ça... c'était pas vrai !

MARIE-ANGE

(*Les mains glacées.*) Qu'est-ce que tu veux dire ?

TIT-COQ

(*Tendu.*) Que si tu m'aimes encore, c'est tout ce qui compte. Et que tu es encore à moi, à moi et rien qu'à moi !

MARIE-ANGE

Non, ne dis pas ça !

TIT-COQ

Moi aussi, je t'aime. Je t'aime encore comme un fou ! Je t'aime et je te reprends, comprends-tu ? Je te reprends !

MARIE-ANGE

Non, non ! Il est trop tard... trop tard, tu le sais bien.

TIT-COQ

Il n'est pas trop tard, pas encore.

MARIE-ANGE

Je t'ai trompé bêtement, je ne suis plus digne de toi !

TIT-COQ

Tu viens de le prouver : c'est pas de ta faute. (*Autant pour lui-même que pour elle.*) C'est pas de ta faute, entends-tu ? Je te crois, je te crois ! Et je te crois quand tu me dis que tu ne l'as jamais aimé, l'autre.

MARIE-ANGE

Mais lui... il m'aime, lui !

TIT-COQ

Bien sûr ! qu'il t'aime. C'est facile de t'aimer. Mais tout dépend de ce qu'on entend par là. Il y a bien des qualités d'amour.

MARIE-ANGE

Je t'assure qu'il m'aime.

TIT-COQ

Il a tourné autour de toi une éternité avant que tu acceptes de le voir, hein ?

MARIE-ANGE

Oui.

ACTE III

TIT-COQ

Et il savait pourquoi tu le repoussais, dans ce temps-là. Il savait autant que tout le monde qu'on s'aimait tous les deux par-dessus la tête, hein ?

MARIE-ANGE

(*Qui ne peut nier.*) Oui, il le savait.

TIT-COQ

Bien sûr ! qu'il le savait. Mais un bon jour il a décidé de te glisser un jonc dans le doigt et de t'appeler sa femme, sans s'inquiéter de savoir si tu étais bien à lui ? Sans te demander cent fois si tu ne m'aimais pas encore ? Sans t'assommer de questions, comme je l'aurais fait, moi, à sa place ?

MARIE-ANGE

(*La tête perdue.*) Oui...

TIT-COQ

Oui ! Parce qu'il n'était pas honnête, lui. Parce qu'il avait la frousse, en te parlant trop, de te réveiller avant d'avoir eu le temps de te prendre. Il se contentait de ton corps, en se sacrant bien du reste. Et tu dis qu'il t'aime ? Il te désire, c'est tout ! C'est pas étonnant qu'il t'ait déçue. Non, tu ne peux pas vivre toute ta vie avec un homme qui t'a fait l'affront de te prendre à moitié seulement. Tandis que moi, je t'aime et je te rendrai heureuse, tu le sais, heureuse autant qu'une femme peut être heureuse !

MARIE-ANGE

Rends-toi compte de ce que tu demandes...

TIT-COQ

Lui, il a besoin de toi comme n'importe quel autre homme a besoin d'une femme, parce qu'il a toute une famille pour l'aimer, si tu le lâches. Mais moi, je n'ai personne au monde, à part toi...

MARIE-ANGE

(*Faiblissant.*) Je t'en supplie, ne dis pas ça.

TIT-COQ

Sans toi, je suis perdu. Si tu ne me tends pas la main, je coule comme un noyé.

MARIE-ANGE

Tu le sais que je t'aime et que je ferais n'importe quoi pour toi. Mais tout ça, c'est arrivé si vite : donne-moi le temps de réfléchir...

TIT-COQ

Le temps ? Non ! Le temps, le temps, il y a deux ans qu'il travaille contre nous autres. Le temps, c'est lui notre ennemi. C'est lui le traître dans notre affaire. Faut pas lui donner une autre chance de...

(*On a sonné.*)

MARIE-ANGE

(*Affolée.*) C'est Jean-Paul !

ACTE III

TIT-COQ
(*Rapide, va jeter un coup d'oeil en bas par la porte du balcon.*)

MARIE-ANGE
Je lui avais dit de pas venir.

TIT-COQ
(*Revenant.*) Oui, c'est lui. Et il s'est amené du renfort.

MARIE-ANGE
Qui ?

TIT-COQ
Ton père... avec un curé de mes amis.

(*Nouvelle sonnerie plus impérative.*)

MARIE-ANGE
Je ne veux pas qu'ils montent !

TIT-COQ
Non : il faut les recevoir, sans avoir honte de ce qu'on va faire. (*Il a pressé le bouton-déclencheur et ouvre la porte toute grande.*) On n'aura pas l'air de se sauver comme des malfaiteurs.

(*Jean-Paul paraît dans la porte, suivi du Padre et du père de Marie-Ange.*)

TIT-COQ
Entrez, y a pas de gêne ! On va se dispenser des bonsoirs puis des présentations d'usage, hein ?

JEAN-PAUL
(*Ne répond pas, mais fixe Tit-Coq dans les yeux.*)

T I T - C O Q

TIT-COQ

Lequel de vous trois va parler le premier ? Vous avez tiré ça au sort avant de monter ?

JEAN-PAUL

(*Face à Tit-Coq.*) Écoute, Tit-Coq : un temps, on était plus que des amis, on était deux frères, tu le sais. Puis je me serais fendu en quatre pour toi...

TIT-COQ

Pas de sentiment, hein ?

JEAN-PAUL

Ma soeur, j'étais sûr qu'elle deviendrait ta femme. Puis j'en étais bien fier. Mais, après ce qui est arrivé, t'as plus affaire à elle. Comprends-tu ? T'as plus affaire à elle.

TIT-COQ

Eh ben ! si tu le prends sur ce ton-là, je vais y aller carré à mon tour : Marie-Ange, je l'aime toujours...

JEAN-PAUL

Ça, je m'en doutais, figure-toi.

TIT-COQ

Mais ce que tu sais peut-être pas, c'est qu'elle aussi m'aime encore.

JEAN-PAUL

(*Incrédule.*) Ouais ?

TIT-COQ

Si je l'ai perdue, c'est pas de ma faute. Et puis je viens

d'apprendre qu'après tout, c'est pas de la sienne non
plus...

JEAN-PAUL

Où est-ce que tu veux en venir, toi ?

TIT-COQ

À ça : pour moi, c'est tout ce qui compte... et puis je la
reprends.

JEAN-PAUL

(*Estomaqué.*) Quoi ?

TIT-COQ

Je la reprends, oui, je pars avec elle. C'est-y assez clair
pour toi ?

JEAN-PAUL

Tu penses qu'on va te laisser faire ?

TIT-COQ

Vous pouvez toujours essayer de nous barrer la route,
si ça vous amuse.

JEAN-PAUL

(*À son père et au Padre.*) J'avais deviné juste, hein ? (*À
Tit-Coq.*) Mais tu te rends compte qu'elle est mariée,
elle ? Mariée ! Tu sais tout ce qu'il veut dire ce mot-là,
par ici ?

TIT-COQ

Il veut rien dire pour moi !

JEAN-PAUL

Et le mari, lui, qu'est-ce que t'en fais ?

Le mari ?

JEAN-PAUL

Tu profiterais de ce qu'il est loin pour lui prendre sa femme comme un voleur ?

TIT-COQ

Que t'es bête ! Lui, quand il a voulu me prendre Marie-Ange, est-ce qu'il m'a envoyé chercher en taxi ? S'il y a un voleur de femme dans le trio, c'est lui. Et le plus drôle de l'histoire, c'est qu'au moment où je reviens, il a été éloigné de la même façon que moi, le voleur. On dirait une permission du bon Dieu — hein, Padre ? — pour me donner la chance de reprendre ce qui m'appartient.

LE PADRE

Ce qui t'appartient ? (*Il a vu l'album sur le sol où Tit-Coq l'a lancé plus tôt, l'a pris et, pendant la réplique suivante, le feuillettera discrètement pour le déposer bientôt sur un meuble.*)

TIT-COQ

Ce qui m'appartient, oui. S'il y a une bénédiction de plus de son côté de la balance à lui, de mon bord à moi il y a le droit que j'avais sur elle avant lui. Il y a l'amour qu'elle a pour moi et qu'elle a jamais eu pour lui. Et puis ça, ça nous marie bien plus qu'un paquet de faire-part, avec un contrat en trois copies devant notaire.

JEAN-PAUL

Oui, oui ! Seulement, pour partir ensemble, il faut être deux.

ACTE III

TIT-COQ

Oui, il faut être deux.

JEAN-PAUL

C'est elle qui a décidé de te suivre ou c'est toi qui cherches à l'entraîner de force ?

TIT-COQ

(*Un moment ébranlé, il se tourne vers Marie-Ange.*) C'est vrai : je t'ai demandé de quitter ton mari pour moi. Mais, toi, tu m'as pas encore répondu. Si tu pars avec moi, il faut que ce soit de ton plein gré, ben sûr. Tu te rappelles la lettre que je t'avais envoyée de l'hôpital, en Angleterre...

JEAN-PAUL

(*Rude.*) Arrête de l'influencer et puis laisse-la...

TIT-COQ

(*Les poings serrés, à Jean-Paul.*) Ta gueule, toi ! C'est pas ta vie qui se joue là, c'est la nôtre, la seule qu'on aura jamais. (*À Marie-Anne.*) Je t'écrivais ce jour-là que je te laissais libre de m'attendre ou non, malgré ta promesse. Mais que si tu décidais de devenir ma femme pour la vie, ça devait être par amour, pas par charité. Ta réponse à cette lettre-là, je l'ai jamais eue. Il est encore temps que tu me la donnes aujourd'hui. Décide, Marie-Ange. Décide pour nous deux. Une fois pour toutes. (*Il se retire vers l'entrée du balcon.*)

JEAN-PAUL

(*Remplaçant Tit-Coq auprès de Marie-Ange.*) Il a menti, hein ? C'est pas vrai que tu veux le suivre ?

MARIE-ANGE

Je l'aime... et je l'aimerai toujours.

JEAN-PAUL

Mais tu vas pas partir avec lui ?

MARIE-ANGE

Que je l'aime, ça t'est égal. Ce que tu pourrais pas accepter, c'est qu'en le suivant, je nuise à la réputation de la famille.

JEAN-PAUL

À la tienne aussi : une femme qui lâche son mari pour un autre, tu sais ce que ça vaut pour tout le monde ?

MARIE-ANGE

Si je dois avoir honte de quelque chose, c'est de pas l'avoir attendu, lui, et d'avoir épousé un homme que j'ai jamais eu dans le coeur.

JEAN-PAUL

Le père et la mère, tu as pensé à la peine que tu leur ferais ?

MARIE-ANGE

(*Hésite un instant, puis sans oser regarder son père, qui suit l'action du fond de la scène.*) Oui, p'pa. Je sais que vous aurez du chagrin. M'man aussi. Je le regrette, bien gros. Mais tant pis ! Je serai pas plus à blâmer que vous l'avez été, tous ensemble, quand vous m'avez jetée presque de force dans les bras d'un autre.

JEAN-PAUL

Ils t'aiment tellement que tout ce qu'ils voulaient, c'était...

A C T E   I I I

MARIE-ANGE

(*L'exaspération lui a fait élever la voix.*) S'ils m'aiment tant que ça, ils seront contents de me voir heureuse, de la seule façon que je pourrais l'être.

JEAN-PAUL

Mais ça fait pas une heure que tu l'as revu. C'est impossible que...

MARIE-ANGE

(*Exaltée.*) Oui, Jean-Paul, je le suivrai ! Je le dis aussi clairement que je peux. (*Elle vient vers Tit-Coq.*) Je te suivrai, Tit-Coq. Je te suivrai aussi longtemps que tu voudras de moi.

TIT-COQ

(*Aux autres.*) Elle me suivra tant que je voudrai d'elle. Avez-vous jamais rien entendu de plus beau ?

JEAN-PAUL

(*Blême de rage, il fonce vers Tit-Coq.*) Si tu pars avec elle, toi, ce sera après que je t'aurai cassé la gueule !

TIT-COQ

Ça, c'est à faire !

JEAN-PAUL

Oui, c'est à faire... (*Ils sont déjà aux prises.*)

LE PADRE

(*Intervenant.*) Jean-Paul, non ! (*Il les sépare.*) C'est pas une solution, ça.

TIT-COQ

(*Désignant le Padre.*) Il sait ben, lui, que l'amour, ça se tue pas à coups de poing.

JEAN-PAUL

(*Au Padre.*) Comme ça, on va les laisser partir... sans essayer de... ?

LE PADRE

(*Le poussant vers la sortie.*) Va... Je te rejoins en bas dans cinq minutes.

LE PÈRE

Attends-moi, Jean-Paul. (*Il vient vers Tit-Coq.*) Mon garçon, quand on t'a reçu à bras ouverts dans la famille, pour Noël, il y a deux ans passés, on était loin d'imaginer que l'hospitalité qu'on t'offrait nous porterait malheur un jour, à moi et à tous les miens. (*À Marie-Ange.*) Marie-Ange, ma chouette, on a peut-être eu des torts en voulant pour toi une sorte de bonheur que tu désirais pas. C'est pour ça qu'on n'aura pas le droit de t'en garder rancune et que tu seras toujours la bienvenue dans la maison, aussi souvent que tu voudras venir nous embrasser. (*Se tournant vers Tit-Coq.*) Mais toi — tiens-toi le pour dit — jamais tu remettras les pieds chez nous. Jamais, moi vivant ! T'as compris ? La famille Desilets, c'est fini pour toi ! (*Il sort avec Jean-Paul.*)

TIT-COQ

(*Sourdement, au Padre.*) Vous, il y a longtemps que je vous vois venir du coin de l'oeil. Vous allez me parler de la Sainte Église et de son catéchisme, avec des péchés au bout gros comme le bras : vous pouvez y aller, mais je vous préviens que je vous attends avec une brique et un fanal !

LE PADRE

(*Calme.*) Il ne sera pas question de religion.

TIT-COQ

Non. Parce que le péché, voyez-vous, il paraît qu'on a été faits là-dedans, nous autres, les bâtards. C'est notre père, le péché, c'est lui qui nous a mis au monde. Ce qui revient à dire qu'on le connaît, et qu'il nous en impose moins qu'au reste de la chrétienté. Le Tout-Puissant, comme vous l'appelez, je réglerai mes comptes avec lui, en temps et lieu. Et je suis tranquille : il a l'esprit large, *lui*, il comprend le bon sens. S'il nous a introduits sur la terre en cachette par la porte d'en arrière, il trouvera bien le moyen de nous laisser entrer au paradis de la même façon.

MARIE-ANGE

Moi aussi, Padre, je vous préviens : je me fiche pas du bon Dieu, mais vous gagnerez pas grand-chose en me faisant la morale.

LE PADRE

Je le répète : je ne vous parlerai pas de religion.

TIT-COQ

Non ! Vu que la religion et le bon Dieu, ça fait deux ! Quant à lui, le créateur, s'il est infiniment juste, comme vous le chantez, il sera bien forcé d'admettre que tout ce qu'il m'a donné à aimer, c'est cette enfant-là, et que j'ai rien fait pour la perdre... Et que j'ai droit à mon petit bonheur, autant que n'importe qui... et que je la garde, entendez-vous ? Je la garde !

LE PADRE

(*Après un temps.*) Prends-la.

TIT-COQ
(*Qui croit avoir mal compris.*) Quoi ?

LE PADRE
Prends-la, ta Marie-Ange, et pars avec elle, sans te préoccuper de l'au-delà. Oui, c'est vrai : Dieu est infiniment juste...

TIT-COQ
Certain !

LE PADRE
Quand tu paraîtras devant lui, il ne pourra peut-être même pas t'en vouloir : tu l'auras payée tellement cher, ta vie avec elle, tellement cher que tu en auras expié sur la terre tout ce qu'elle pourrait avoir eu de condamnable.

TIT-COQ
(*Abasourdi.*) Qu'est-ce que c'est que cette histoire-là ?

LE PADRE
Alors, Marie-Ange, tu veux quitter ton mari pour suivre Tit-Coq ?

MARIE-ANGE
(*Butée.*) Oui.

LE PADRE
Ce geste-là, tu sais qu'il est très grave de conséquences. Mais tu es décidée à le poser en te disant qu'au moins tu rendras heureux un pauvre diable qui mériterait bien de l'être.

MARIE-ANGE
Il a rien que moi au monde.

LE PADRE

(*Sans animosité.*) Eh ! bien, tu te trompes : c'est son malheur que tu vas faire, son malheur et le tien.

TIT-COQ

Si vous voulez nous apprendre qu'on sera malheureux vu qu'on n'aura pas les fesses bien assises dans le mariage, vous vous trompez, parce qu'il est encore possible pour elle de divorcer puis d'être ma femme légalement.

LE PADRE

Un divorce ? Ici, de nos jours ? C'est extrêmement difficile à obtenir.

TIT-COQ

Ça, c'est à voir.

LE PADRE

Oui, c'est à voir, justement. Sais-tu que le seul grief admissible, c'est le flagrant délit d'adultère, dûment prouvé par des témoins oculaires ou par des documents photographiques irrécusables ? L'affaire est très longue et coûte une fortune. Es-tu sûre, Marie-Ange, de pouvoir établir cette preuve-là contre ton mari ? Pour obtenir, au civil seulement, une dissolution de mariage qui, de toute façon, ne changerait absolument rien à l'attitude des tiens envers Tit-Coq ?

TIT-COQ

Si la loi est contre nous, on s'en passera, du divorce.

LE PADRE

Forcément.

MARIE-ANGE

Qu'on soit mariés ou non, j'essaierai de tout faire pour le rendre heureux. L'amour libre, ça existe, Padre.

LE PADRE

Évidemment. Et je n'en fais pas le procès.

TIT-COQ

Des ménages qui ont pas de jonc au doigt, il y en a des tas, vous saurez; et ils braillent pas à chaudes larmes chaque fois qu'on les rencontre dans la rue.

LE PADRE

D'autres pourraient peut-être s'accommoder de la vie qu'elle t'offre, mais toi, jamais.

TIT-COQ

Pourquoi ?

MARIE-ANGE

(*Misérable.*) Oui, pourquoi, Padre ? Pourquoi je pourrais pas faire son bonheur, quand je l'aime tellement ?

LE PADRE

Parce que lui, Marie-Ange, il est né à la crèche, abandonné par sa mère dès ses premiers jours... Il a passé sa jeunesse dans un orphelinat, sans affection, sans tendresse, avec un coeur pour aimer, bien sûr...

TIT-COQ

Autant que n'importe qui !

LE PADRE

Peut-être même plus. (*À Marie-Ange.*) Un jour, il t'a

rencontrée, et il s'est rendu compte que, dès le moment où tu l'épouserais, il sortirait de son isolement pour devenir un homme aimé, non seulement de toi, mais de toute ta famille. Ta famille qui deviendrait sa parenté, la plus belle du monde. (*Il est allé chercher l'album là où il l'avait déposé plus tôt.*) Celle qu'il me montrait fièrement dans cet album que tu lui avais donné...

TIT-COQ

Qu'est-ce que vous déterrez là, vous ?

LE PADRE

(*Ouvrant l'album.*) Le jour de son départ, Marie-Ange, il a écrit là-dedans une page qui m'a profondément touché. Un beau dimanche soir, il serait l'homme le plus important de la terre, il réaliserait son rêve le plus ambitieux : lui, le sans-famille, il s'en irait tout simplement visiter sa parenté, c'est-à-dire la tienne. (*Lisant dans l'album.*) « ... avec mon petit dans les bras, et, accrochée après moi, ma Toute-Neuve... On s'en va veiller chez mon oncle Alcide. Mon oncle par alliance, mais mon oncle quand même... Le bâtard, tout seul dans la vie, ni vu ni connu : dans le tramway, il y aurait un homme comme tout le monde, en route pour aller voir les siens. Pas plus, mais pas moins. Pour un autre, ce serait peut-être un bien petit avenir. Mais moi, avec ça, je serai sur le pignon du monde. Grâce à Marie-Ange Desilets, qui me donnera en cadeau toute sa famille. C'est pourquoi je pourrai jamais assez l'aimer et la remercier. » (*Il referme l'album.*) (*À Marie-Ange.*) Peux-tu encore lui apporter ce bonheur-là, irremplaçable pour lui ? Peux-tu toujours lui offrir en cadeau l'affection, l'amour des tiens ?

T I T - C O Q

MARIE-ANGE
(Elle se cache la figure dans les mains.)

LE PADRE

Tu as vu Jean-Paul, tout à l'heure, prêt à se battre à poings nus avec celui qui avait été jusque-là son meilleur ami, parce qu'il voulait partir avec toi ? Tu as entendu ton père, aussi. Crois-tu qu'il a parlé à la légère quand il a juré que la famille Desilets, c'était fini pour Tit-Coq ? *(Devant son silence.)* Réponds·honnêtement.

MARIE-ANGE
(La tête dans ses mains, elle fait signe que non.)

TIT-COQ

S'ils nous refusent, on fichera le camp au diable vert !

LE PADRE

Ça ne réglerait rien : ton idéal était de te rapprocher, pas de t'éloigner d'eux.

TIT-COQ

D'accord, je le voulais tout ça. Je le voulais comme un maudit toqué ! Mais c'est fini maintenant, c'est perdu. Raison de plus pour la garder : elle est tout ce qui me reste.

LE PADRE

Oui. Mais aussi tout ce que tu auras jamais. En quittant son mari pour te suivre, elle peut t'empêcher d'être seul, oui ; mais elle te condamne par le fait même à être toujours seul avec elle, à ne jamais avoir ce que bien d'autres femmes peuvent encore te donner. Tout ce que tu voulais est encore possible avec une autre. Rien n'est perdu sauf elle.

TIT-COQ

Et l'amour, qu'est-ce que vous en faites ?

LE PADRE

L'amour ?

TIT-COQ

Oui, l'amour ! La passion entre un homme et une femme. Ça compte pas dans votre monde, mais dans le nôtre, oui ! Elle m'aime, elle, et ça me consolera de tout le reste. Parce que l'amour, c'est fort. Plus fort que tout, vous saurez.

LE PADRE

Si c'était si fort, l'amour, elle t'aurait attendu, elle.

TIT-COQ

(*Menaçant.*) Qu'est-ce que vous dites ?

LE PADRE

Oui, ça peut exister, un grand amour, et pour un temps compenser bien des épreuves. Mais ce n'est peut-être pas là le sentiment qu'elle a eu pour toi, celle qui t'a laissé tomber sans même avoir le courage de t'écrire sa décision, qui a juré fidélité à un autre pour la vie, mais qui est prête maintenant à te retomber dans les bras.

MARIE-ANGE

(*Du fond de sa peine.*) Tit-Coq... pourquoi tu m'as pas

épousée, avant de partir ? Pourquoi ? J'étais prête, moi :
je te désirais tellement !

TIT-COQ
Moi aussi, je te désirais, plus que tout au monde...

LE PADRE
Tu veux savoir, Marie-Ange, pourquoi il ne t'a pas
épousée il y a deux ans ?

TIT-COQ
J'avais mes raisons !

LE PADRE
(*Enchaînant, à Marie-Ange.*) Il tenait à embrasser dès
sa naissance l'enfant qu'il aurait pu avoir de toi. Il ne
voulait pas le priver une heure d'une tendresse que son
père à lui ne lui avait jamais donnée. Et cette passion-
là était plus forte à elle seule que celle qu'il avait de te
posséder. Crois-tu encore, Marie-Ange, qu'il te désirait
plus que tout au monde ?

TIT-COQ
(*Les poings serrés.*) C'est assez.

LE PADRE
Vous avez raison : l'amour, c'est plus fort que tout.
Mais il faudrait s'entendre sur le sens qu'on donne au
mot *amour*. Il en a plusieurs. Et certains sont plus forts que
les autres. C'est là *tout* ton problème, Tit-Coq.

TIT-COQ
(*À la fois menaçant et pitoyable.*) C'est assez... C'est
assez !

LE PADRE

Oui, c'est assez. Ce que j'avais à dire pour vous convaincre, je l'ai dit. (*Se préparant à partir.*) Je ne peux rien de plus. J'ai essayé de faire la lumière : vous êtes libres de voir clair ou de fermer les yeux. (*Il sort.*)

TIT-COQ

(*Un instant désemparé par la retraite subite du Padre.*) Tu vas pas le croire, hein ? Tu vas pas te laisser arracher de moi parce qu'il a passé entre nous, lui ?

MARIE-ANGE

(*Accablée.*) Il a raison, il a raison...

TIT-COQ

Non !

MARIE-ANGE

Maintenant qu'on est seuls, tu peux bien l'admettre. J'ai tout gâché...

TIT-COQ

Non, Marie-Ange, fallait pas l'écouter.

MARIE-ANGE

... Tout gâché. Quel dommage, quel dommage !

TIT-COQ

Ce qu'il voulait, c'était t'humilier, pour que je me tourne contre toi. Mais aie pas honte... aie honte de rien ! Je t'ai pardonné, entends-tu ? Tout ce que tu as fait, c'est effacé, c'est fini !

MARIE-ANGE

Tu me pardonnes...

TIT-COQ
Oui, parce que la faiblesse humaine, c'est pour les humains. Et à tout péché miséricorde.

MARIE-ANGE
On peut tout se faire pardonner, même d'avoir tué... Mais le pardon ressuscite pas ce qui est mort. Le pardon efface pas les conséquences.

TIT-COQ
Je les accepte, les conséquences !

MARIE-ANGE
Maintenant, oui, sans trop savoir ce que tu dis... Mais pour combien de temps ?

TIT-COQ
Je te jure, Marie-Ange, que je t'aimerai toute ma vie !

MARIE-ANGE
Il faut tant de raisons pour aimer toute la vie. Tu en aurais tellement d'en venir à me détester !

TIT-COQ
(*Sentant qu'elle lui échappe.*) Jamais je te quitterai, jamais !

MARIE-ANGE
Le jour où tu te débattrais contre la tentation d'aller chercher ailleurs ce que tu voulais, ce que tu voudras toujours, qu'est-ce que j'aurais, moi, pour te retenir ?

TIT-COQ
(*Désespéré.*) Tu aurais l'enfant... l'enfant que tu peux encore me donner !

A C T E   I I I

Oui... je pourrais te le donner, ce *bel* enfant-là. Mais tu m'en voudrais toujours d'avoir fait en sorte qu'il vienne au monde comme toi... par ma faute... Ça non plus tu me le pardonnerais jamais.

TIT-COQ
(*S'est laissé tomber sur une chaise, les yeux dans ses poings.*)

MARIE-ANGE
(*Après un temps.*) J'ai dit que je te suivrais aussi long-temps que tu voudrais de moi. Et rien ni personne n'au-rait pu m'en empêcher. Mais tu ne veux plus de moi, au fond de ton coeur. Tu ne veux plus de moi...

TIT-COQ
(*Prostré, ne répond pas.*)

MARIE-ANGE
Depuis que je sais tout ce que je viens d'apprendre, je me pose une question... une question grave : m'aurais-tu aimée autant, Tit-Coq, si tu m'avais pas connue au milieu de tous les miens... si j'avais été sans famille comme toi ? Tu ne te serais peut-être pas attaché à moi plus qu'à une autre. C'est ce que je tâcherai de croire... pour me consoler du grand malheur de t'avoir perdu bêtement. (*Un temps.*) Maintenant pars, pendant qu'on voit clair. Va-t-en, sans regarder en arrière, jamais... et oublie-moi.

TIT-COQ
(*Repousse l'idée, la tête dans les mains.*) Non...

MARIE-ANGE

C'est pas facile, pour moi non plus, de te demander ça, tu peux me croire. Mais j'aurai eu au moins ce courage-là dans ma vie. (*Soumise à l'inévitable.*) Oui, tu vas m'oublier : ce que je t'ai volé, il faut qu'une autre te le rende. Autrement, le sacrifice qu'on fait serait perdu. (*Sans le regarder.*) Va, Tit-Coq, va !

TIT-COQ

(*S'est levé péniblement. À travers sa peine, sans jeter les yeux sur elle et presque tout bas :*) Adieu.

MARIE-ANGE

(*Dans un souffle.*) Oui... adieu.

(*Il sort, comme un homme harassé qui commence un long voyage.*)

R I D E A U

CRITIQUE

(...) *Tit-Coq*, on le sait, a été reçu par la critique québécoise et canadienne, sauf exceptions rarissimes, comme une révélation ou une confirmation des talents de tout un peuple en même temps que de sa souffrance refoulée. « C'est un record, un record incontestable, et à divers titres... », proclame Jean Béraud (*la Presse*). Eugène Lapierre (*le Devoir*) risque le mot de « chef-d'oeuvre ». « *Tit-Coq* comble tous nos voeux », assure Roger Duhamel (*Montréal-Matin*). « *Tit-Coq* est l'une des oeuvres les plus originales et les plus poignantes du théâtre moderne. Il y a des moments qui sont d'une tendresse exquise ou d'une violence terrible, ou d'une gouaille plus terrible encore, souvent qui sont tout cela à la fois, des moments qui ont fort peu d'égaux sur la scène contemporaine », écrit un correspondant de guerre et futur premier ministre, René Lévesque (*le Clairon*). « Si Jean-Paul Sartre fait sa cour à l'intellectuel, au cérébral, M. Gélinas s'adresse, lui, au peuple. Et par un heureux rebondissement, il satisfait en même temps l'homme instruit... », conclut de son côté Maurice Huot (*la Patrie*). « Que Gélinas sache bien que tout le Canada français le regarde », avertit le père Ernest Gagnon (*Relations*). Comment ne le saurait-il pas ! On le compare à Chaplin, à Pagnol, à Molière ; on rapproche son oeuvre de *Maria Chapdelaine*, de *Menaud*, d'*Un homme et son péché*. On le présente, à droite et à gauche, comme la « voix » privilégiée de notre « âme » collective, à la fois témoin, défenseur, ambassadeur, etc.

(...) *Tit-Coq* a vieilli, *bien* vieilli, comme un meuble d'époque, rustique, authentique. On relit la pièce avec intérêt. Sans doute faut-il maintenant la resituer dans son contexte : la guerre et ses séquelles. (...) Les conflits localisés et datés de *Tit-Coq* ont une signification historique. On pourrait revoir la pièce à la lumière de *Québec, printemps 1918*, dramatisation de l'historien Jean Provencher. Et évidemment d'*Un simple soldat* de Dubé, dont le héros-victime a plusieurs traits de Tit-Coq : mi-orphelin, mi-révolté, etc. *Tit-Coq* a maintenant une postérité et un nouveau contexte.

Vingt ans avant Tremblay ou Germain, Gratien Gélinas a préconisé pour le Québec un théâtre « national et populaire », suivant la double épithète mise à la mode par Jean Vilar en France. Prudent, habile, Gélinas prend soin de citer à l'appui de sa thèse une pléiade d'autorités : Claudel, Copeau, Ghéon, Giraudoux, Jouvet, Barrault... Il se défend de vouloir bannir les oeuvres étrangères. Il se réfère à plusieurs reprises au fameux passage de l'*Échange* sur le spectateur de théâtre qui « n'a point envie de s'en aller », avant d'établir un parallèle entre le « miroir » du théâtre autochtone (à créer) et les « portraits de la parenté », dorés et bien encadrés, qu'offre la dramaturgie étrangère ou universelle. Il faut les deux, conclut Gélinas, miroir et galerie de portraits, au théâtre comme à la maison.

Gélinas sait « transmettre de l'action par de l'immobilité » et *Tit-Coq* — la pièce autant que le rôle-titre — parle « un langage tout près du corps », remarquait le critique Ernest Gagnon. Et ce langage du corps est d'abord un langage de l'amour. Le « moulin à paroles » de Tante Clara fonctionne au rythme de sa chaise berçante ou berceuse. La mère Désilets s'exprime par les larmes (de joie), la table, la cuisine. Germaine est « de la bonne pâte », Clara « sent le vieux scapulaire ». Marie-Ange, qui *rosit* et fait attention à sa robe neuve, a le cœur chaviré par une danse. Tit-Coq et Jean-Paul se battent faute de savoir se parler : « Ah ! on s'est rarement sauté au cou... mais c'est la première fois qu'on se pète la gueule. »

Malgré les déclarations du père Désilets, joyeux fêtard (« ...nous autres, on se lèche et puis on s'embrasse la parenté comme des veaux qui se tettent les oreilles jusqu'à la quatrième génération des deux bords ! »), l'amour est plutôt un manque qu'un débordement dans *Tit-Coq*. Yves Bolduc a montré que la pièce manifestait une « vision dualiste » de l'amour : d'un côté l'idéal, passion et tendresse ; d'autre part, et sans transition, l'infidélité, la monotonie, l'usure, l'ennui : la « rose » se réveille « vieille fille ». Il y a la jeunesse, la danse, les sorties, puis brusquement le cercle étroit du foyer. Tit-Coq, étant donné sa naissance, valorise « l'amour paternel aux dépens de l'amour conjugal ». Il n'est pas le seul. La famille Désilets tout entière (sauf peut-être Marie-Ange) penche de ce côté. (...)

Laurent MAILHOT
Présentation critique à l'édition
de *Tit-Coq*, Quinze, 1980

OEUVRES DE GRATIEN GÉLINAS

Tit-Coq, Montréal, Beauchemin, 1950 ; Éditions de l'Homme, 1968 ; Les Quinze, éditeur, 1980.

Bousille et les justes, Québec, Institut littéraire, 1960 ; Montréal, Éditions de l'Homme, 1967 ; Les Quinze, éditeur, 1980.

Hier, les enfants dansaient, Montréal, Leméac, 1968 ; édition scolaire, Leméac, 1972.

Les Fridolinades, 1945-1946, Les Quinze, éditeur, 1980.

Les Fridolinades, 1943-1944, Les Quinze, éditeur, 1981.

Les Fridolinades, 1941-1942, Les Quinze, éditeur, 1981.

Les Fridolinades, 1938-1939-1940, Les Quinze, éditeur (à paraître, 1982).

ÉTUDES SUR *TIT-COQ*

Berthiaume, Pierre, « L'idéologie de *Tit-Coq* de Gratien Gélinas », *Cahiers de L'I.S.S.H.* (Québec, Université Laval, Institut supérieur des sciences humaines), coll. « Études sur le Québec », no 5, août 1976, p. 67-90.

Bolduc, Yves, « Gratien Gélinas », dans *le Théâtre canadien-français*, « ALC » 5, Montréal, Fides, 1976, p. 475-482. *Cahiers de la N.C.T. (Les)*, 10, 1, octobre 1975.

Dassylva, Martial, « Gratien Gélinas : — Tout ce qui nous touche d'un peu près, on taxe ça de mélodrame », *la Presse*, 9 avril 1966, p. 11.

Daviault, Pierre, « *Tit-Coq*, retour de New York », *la Nouvelle Revue canadienne*, 1, 2, avril-mai 1951, p. 57-61.

Godin, Jean-Cléo, « Orphelins ou bâtards : Fridolin, Tit-Coq, Bousille », dans J.-Cl. Godin et L. Mailhot, *le Théâtre québécois*, Montréal, Hurtubise HMH, 1970, p. 29-43.

Hamelin, Jean, *le Renouveau du théâtre au Canada français*, Montréal, Éditions du Jour, 1961 : « Vers une dramaturgie canadienne : de *Tit-Coq* à *Brutus* », p. 42-47.

Julien, Bernard, « *Tit-Coq* et Antony. Analogie des struc-
tures, des personnages et des destins », dans *Mélanges de
civilisation canadienne-française offerts au professeur Paul
Wyczynski*, Ed. de l'Université d'Ottawa, 1977,
p. 121-136.

Laurendeau, André, « *Tit-Coq* devenu livre », *l'Action natio-
nale*, 36, 1, septembre 1950, p. 77-83.

Québec
10/10

Parus chez Stanké

Gilles ARCHAMBAULT
  Parlons de moi (17)
  La Vie à trois (30)

Jacques BENOIT
  Jos Carbone (21)
  Les Princes (25)
  Les Voleurs (32)

Marie-Claire BLAIS
  Le Jour est noir suivi de *L'Insoumise* (12)
  Un Joualonais sa Joualonie (15)
  Une saison dans la vie d'Emmanuel (18)
  Le Loup (23)
  Manuscrits de Pauline Archange (27)
  Vivre! Vivre! (28)
  Les Apparences (29)

Roch CARRIER
  Il n'y a pas de pays sans grand-père (16)

Claude-Henri GRIGNON
  Un homme et son péché (1)

Lionel GROULX
  Lendemains de conquête (2)
  Notre maître le passé, trois volumes (3, 4, 5)
  La Confédération canadienne (9)

Claude JASMIN
  Délivrez-nous du mal (19)

André MAJOR
  Histoires de déserteurs:
    1. *L'Épouvantail* (20)
    2. *L'Épidémie* (26)
    3. *Les Rescapés* (31)

Parus chez les Quinze

Ti-coq — Roxy

décauve — orphelin
Amour → — ¥ amour
Jean Paul — ¥ amour
                    ll
                    coucher

querelle → — Marie
qui → — Ange
les sépare — ⊥ Electre

Arthur St-Jean

Achevé d'imprimer au Canada
sur les presses de
l'Imprimerie Gagné Ltée
Louiseville

bend down, cup his hand in the cold water, and drink until his stomach had the illusion of being full. Once he was lucky enough to spear a trout with his knife, though he had to eat it raw.

His source of strength was his belief that God was watching over him, for the destiny of his family had been vouchsafed into his keeping. Each day when he put on his phylacteries and chanted the ancient prayers, his faith was renewed. When he had the good fortune to ride on the back of a farmer's cart or get a lift downriver on a barge, he knew that it was because of God's blessing.

Two months later, he arrived in Marseilles. The soles of his shoes had worn out long ago, and he had wrapped his bleeding feet with pieces of thin, dirty blanket which he had torn in strips. He had earned and saved a few francs from jobs he'd done for farmers along the way, and with that he bought a pair of secondhand shoes and paid for a night's lodging. The luxury of sleeping on a straw mat, even in the company of ten others, was a joy he'd almost forgotten existed. That night he washed his clothes and laid them on the floor next to his mat to dry. Then he enjoyed his first bath in longer than he could remember.

When morning came, he went into the shipping office and waited his turn to be hired to work on one of the boats headed for the New World. His apprehensions grew when he saw the great number of men already in line. But Ephraim soon had more reason to believe he still enjoyed God's blessing: he was the last to be hired that day, and the next ship would not sail for over three weeks.

After the shoes were bought and the lodgings paid for, he had no more money, but he had a place on the ship and the opportunity to work during the crossing.

The worst was behind him, and he could almost taste the word freedom. The word seemed to trip from his tongue like honey. That afternoon, the freighter *La Liberté* lifted anchor and sailed.

Deep in the bowels of the ship, Ephraim shoveled coal into the furnace, whose appetite seemed insatiable. As soon as the monster was fed, he slammed the heavy iron door shut, but barely had time to wipe the sweat and soot from his forehead with his blackened arm before the fire again demanded his attention. Trembling with fatigue and holding on to the rail with his raw, blistered hands, he ascended the catwalk. Then, unsteadily, he inched his way along the narrow corridor until he reached his quarters. Too exhausted to wash or eat, he collapsed in his hammock and fell into a deep sleep.

For several days Ephraim did not see daylight. After passing the Straits of Gibraltar, the ship was gripped by a terrible storm. Even when it lessened and Ephraim could go on deck and breathe the crisp salt air, he had little time or inclination to do so, for the old vessel still turned and twisted like a toy in the mighty Atlantic. To Ephraim, who had never been to sea, the ocean seemed angry and hostile even on fine days, when giant waves shot up like white fangs, then cascaded down in an icy torrent across the bow.

Belowdecks, hordes of immigrants were being tossed about in their cramped and fetid quarters. Some writhed in pain from hunger, holding their swollen bellies. Others, too weak even to cry out, lay oblivious to the misery around them. A few simply wished that death would overtake them, as was occasionally the case.

As happens with all things in life, there are beginnings and there are endings. Nearly six weeks after leaving Marseilles, *La Liberté* weighed anchor in New York harbor, where, as if to prolong the immigrants' misery a torrential rain pounded against the portholes and the wind howled mournfully.

Weak and bedraggled women, men, and children, families who until now had been faceless, began to emerge from belowdecks. Many wept with relief at their first sight of the New York skyline. Some, bewildered by the mere fact that they had survived, seemed unaware of the downpour. Others, too ill or weak to stand alone, clung to one another for support.

For a brief moment Ephraim looked at the crowd and was filled with compassion. Then he picked up his bag, swung it over his shoulder, and walked down the gangplank.

He went to the shipping office and waited in line for his pay, then watched grimly as a bursar counted out a dollar for each day they had been at sea. As he moved out of the line, he smiled sardonically; forty dollars for the agony he'd suffered. But then he thought to himself: *It took Moses forty years to get to the Promised Land, and I came in just forty days. Not that I'm comparing myself with Moses, God forbid.* With that happy reflection, he stuffed the money into his pocket and walked out of the shipping office.

He was in New York. Even under the heavy clouds the city seemed to shimmer with promise. Ignoring the rain, he began to walk, trying to follow the directions one of the crew members had given him to the Lower East Side. An hour later he found a flophouse on the Bowery for twenty-five cents a night. Shedding his wet clothes, he collapsed onto an iron cot.

In the morning, when he opened his eyes to the bleak winter day, he felt exhausted. But at least his bed wasn't being tossed up and down by the storm. Maybe he should just rest . . . Then he looked around at the other men who filled the shabby, stifling room. For many, he suspected, that was how they spent their days. That depressing thought suddenly gave him the strength to get on with his new life. He rose, a little shakily, swung his bag over his shoulder, and looked around the dormitory. Although he had little in the way of worldly goods, Ephraim was a man who understood his own dignity—and he had not come this far to fail. Quickly he turned and ran down the steep flight of stairs to the street.

Shivering with cold, he stood huddled in the doorway, trying to get his bearings. Then, still uncertain of what direction he should take, he began to walk.

How far he had gone, he wasn't quite sure. He stopped to rest, watching his breath steam against the cold, sharp air. Until now he had been oblivious to his surroundings, but suddenly he saw the sign: COHEN'S KOSHER RESTAURANT.

A bell rang as he opened the door and rang again as he closed it. He stood alone among the vacant tables and chairs. There were no other customers.

Soon, a woman emerged from the back. Wiping her hands on her white apron, she told him to take any table. When their eyes met, he felt a lump in his throat; she looked like his mother.

"Nu. So what can I get you?" she asked in Yiddish.

Ephraim smiled back. "A cup of coffee and a roll, please," he said, a little embarrassed by his accent.

"That's all you want?" she asked, looking at the handsome young stranger. A thousand young boys like this she had befriended throughout the years. It wasn't necessary to know from where they had come or how long they were staying. They were friendless and bewildered and Leah Cohen's heart went out to them. After all, she and Yankel knew what it was to be greenhorns.